NEW
서울대 선정
인문고전
60선

48
비트겐슈타인 철학적 탐구

NEW 서울대 선정 인문 고전 ㊸
 비트겐슈타인 **철학적 탐구**

개정 1판 1쇄 발행 | 2019. 8. 21
개정 1판 3쇄 발행 | 2025. 1. 11

김면수 글 | 이남고 그림 | 손영운 기획

발행처 김영사 | 발행인 박강휘
등록번호 제 406-2003-036호 | 등록일자 1979. 5. 17.
주소 경기도 파주시 문발로 197 (우-10881)
전화 마케팅부 031-955-3100 | 편집부 031-955-3113~20 | 팩스 031-955-3111

값은 표지에 있습니다.
ISBN 978-89-349-9473-2
ISBN 978-89-349-9425-1(세트)

좋은 독자가 좋은 책을 만듭니다. 김영사는 독자 여러분의 의견에 항상 귀 기울이고 있습니다.
전자우편 book@gimmyoung.com | 홈페이지 www.gimmyoung.com

이 도서의 국립중앙도서관 출판예정도서목록(CIP)은 서지정보유통지원시스템 홈페이지(http://seoji.nl.go.kr)와
국가자료종합목록시스템(http://www.nl.go.kr/kolisnet)에서 이용하실 수 있습니다. (CIP제어번호 : CIP2018042972)

|어린이제품 안전특별법에 의한 표시사항| 제품명 도서 제조년월일 2025년 1월 11일
제조사명 김영사 주소 10881 경기도 파주시 문발로 197 전화번호 031-955-3100 제조국명 대한민국
사용 연령 10세 이상 ⚠주의 책 모서리에 찍히거나 책장에 베이지 않게 조심하세요.

미래의 글로벌 리더들이 꼭 읽어야 할 인문고전을 만화로 만나다

NEW 서울대 선정 인문고전 60선

48

비트겐슈타인 철학적 탐구

김면수 글 · 이남고 그림

주니어김영사

⟨NEW 서울대 선정 인문고전60⟩이 국민 만화책이 되기를 바라며

제가 대여섯 살 때 동네 골목 어귀에 어린이들에게 만화책을 빌려주는 좌판 만화 대여소가 있었습니다. 땅바닥에 두터운 검정 비닐을 깔고 그 위에 아이들이 좋아하는 만화책을 늘어놓았는데, 1원을 내면 낡은 만화책 한 권을 빌릴 수 있었지요. 저는 그곳에서 만화책을 보면서 한글을 깨쳤고 책과의 인연을 맺었습니다.

초등학교 때는 용돈을 아껴서 책을 사서 읽었고, 중학교 때는 학교 도서 반장을 맡아 도서관에서 매일 밤 10시까지 있으면서 참 많은 책을 읽었습니다. 그 무렵 헤밍웨이의 《노인과 바다》를 손에 땀을 쥐며 읽으면서 인생에 대해 고민했고, 헤르만 헤세의 《수레바퀴 아래서》를 읽으며 사춘기의 심란한 마음을 달랬습니다. 김래성의 《청춘 극장》을 밤새워 읽는 바람에 다음 날 치르는 중간고사를 망치기도 했습니다.

당시 저의 꿈은 아주 큰 도서관을 운영하는 사람이 되어 온종일 책을 보면서 책을 쓰는 작가가 되는 것이었습니다. 나이가 들고 어느 정도 바라는 꿈을 이루었습니다. 큰 도서관은 아니지만 적당한 크기의 서점을 운영하고, 글을 쓰는 작가가 되었거든요. 저는 여기에 새로운 꿈을 하나 더 보탰습니다. 그것은 즐거운 마음과 힘찬 꿈을 가지게 해 주고, 나아가 자기 성찰을 도와주는 좋은 만화책을 만드는 일이었습니다. 이렇게 해서 만든 책이 바로 ⟨서울대 선정 인문고전⟩입니다. 서울대학교 교수님들이 신입생과 청소년들이 꼭 읽어야 할 책으로 추천한 도서들 중에서 따로 60권을 골라 만화로 만든 것입니다. 인류 지성사의 금자탑이라고 할 수 있는 고전을 보기 편하고 이해하기 쉽도록 만화책으로 만드는 일은 쉬운 일은 아니었습니다. 약 4년 동안에 수십 명의 학교 선생님들과 전공 학자들이 원서의 내용을 정확하게 전달할 수 있도록 밑글을 쓰고, 수십 명의 만화가들이 고민에 고민을 거듭하면서 만화를 그려 60권의 책을 만들었습니다.

〈서울대 선정 인문고전〉이 완간되었을 무렵에 우리나라에 인문학 읽기 열풍이 불기 시작했습니다. 〈서울대 선정 인문고전〉은 인문학 열풍을 널리 퍼뜨리는 데 한몫을 하면서 독자들의 뜨거운 사랑과 관심을 받았습니다. 덕분에 지금까지 수백만 권이 팔리는 베스트셀러가 되었습니다. 그 사랑에 조금이나마 보답을 하기 위해《칸트의 실천이성 비판》,《미셸 푸코의 지식의 고고학》,《이이의 성학집요》등 우리가 꼭 읽어야 할 동서양의 고전 10권을 추가하여 만화로 만들었습니다.

〈서울대 선정 인문고전〉은 어린이와 청소년이 부모님과 함께 봐도 좋을 만화책입니다. 국민 배우, 국민 가수가 있듯이 〈서울대 선정 인문고전〉이 '국민 만화책'이 되길 큰마음으로 바랍니다.

손영운

구도자처럼 청빈하게 살다 간
철학의 탐구자

제가 대학에 다닐 때 제일 싫었던 수업이 '논리학' 이었습니다. 문학 관련 수업만 듣다가 철학에 도전해 보기 위해 신청한 논리학 수업은 좌절의 연속이었죠. 무슨 말인지 하나도 알아들을 수 없었습니다. 이상한 수학 기호들이 등장할 땐 이제 철학 공부를 포기해야 하나 보다 싶었죠. 그런데 주위의 철학과 학생들은 너무나 논리학 문제들을 잘 풀어내는 것이었습니다. 그 친구들이 그렇게 똑똑해 보일 수 없었습니다. 저는 자극을 받았고 스스로 다짐했습니다. 한번 도전해 보기로요. 한 학기 수업 동안 교수님이 저에게 질문을 던지지 않기를 기도하면서 친구들을 따라가기 위해 혼자 끙끙댄 결과 B⁻ 라는 비교적 선방한 성적을 받아 냈습니다.

그 논리학 수업에서 전 러셀의 기호 논리학과 비트겐슈타인의 진리 함수표도 들어 볼 수 있었지요. 논리학하면 지금도 두려움이 있습니다. 그래서 러셀과 비트겐슈타인과 같은 영미 철학자들에 대한 울렁증이 저에겐 있습니다. 그러다가 우연히 레이 몽크라는 유명한 전기 작가가 쓴 《루트비히 비트겐슈타인─천재의 의무》를 읽게 되었습니다. 그 책을 통해 만난 비트겐슈타인의 삶은 너무나 극적이고 매력적이었습니다. 그는 오스트리아 최고 재벌의 막내아들로 태어났지만 평생을 궁핍하게 살았던 사람이었습니다. 또한 전쟁에 참가하여 훈장을 받을 정도로 몸을 아끼지 않았고, 전쟁 기간 동안에 쓴 《논리철학논고》로 세계에서 가장 유명한 철학자가 되기도 했습니다. 그는 그 책으로 철학의 모든 문제를 해결했다고 생각할 정도로 오만했으며 안정된 교수직을 떠나 시골 마을의 초등학교 교사가 될 정도로 멋있게 퇴장할 줄도 알았습니다. 평생 사유할 만한 조용한 곳을 찾아다닌 수도자였으며 소련에 가서 노동자가 되고 싶어 했던 금욕적인 실존주의자이기도 했습니다. 그는 늙어서 초라하게 죽었습니다. 그러나 죽는 순간까지 사유를 그만두지 않았습니다. 그는 끊임없이 진리의 길을 찾아 나선 구도자와 같습니다.

《철학적 탐구》는 그의 이러한 성향이 잘 드러난 책입니다. 《철학적 탐구》에서 비트겐슈타인은 우리에게 일관성의 환상을 버리라고 말합니다. 그리고 끊임없는 질문 속으로 우리를 빠뜨립니다. 거기서 비트겐슈타인은 우리에게 일상 언어의 풍성한 세계를 보여 줍니다. 일상 언어에는 아무것도 숨겨져 있지 않습니다. 거기엔 그것들을 꿰뚫는 진리나 원리가 없습니다. 우리의 일상 언어는 그만큼 오랜 시간 동안 지속되어 왔으며 우리는 모두 그 일상 언어에서 길러져 왔습니다. 마치 오래된 도시의 길들을 걸으며 그 도시의 역사와 문화의 단면들을 관찰하고 기록하는 문명사학자처럼 비트겐슈타인은 묵묵히 일상 언어를 조사하고 기술합니다. 어쩌면 《철학적 탐구》에서 여러분들이 배워야 할 것은 그의 이론적 설명보다는 그러한 비트겐슈타인의 방식일지도 모르겠습니다. 정직하고 끝없는 탐구 정신! 그것이 언어라는 파리통에 빠진 우리들이 감옥 같은 파리통을 벗어나 신선한 새바람이 부는 넓은 세계로 탈출할 수 있는 유일한 길일 것입니다.

끝으로 이처럼 즐거운 일을 할 수 있는 기회를 주신 손영운 선생님, 애매한 글을 생동감 있게 표현해 주신 이남고 작가님, 미숙한 글을 다듬어 주신 주니어김영사 편집부에 감사의 말씀을 드리고 싶습니다.

김명수

말의 오해에 주목한 철학자

　　사실 전 비트겐슈타인을 만나기 전까지는 우리가 하는 말에 대하여 그리 깊이 혹은 심각하게 생각해 본 적이 없었습니다. 간혹 내가 한 말로 인해 사람들의 오해를 사고 미움을 받게 될 때에도 말입니다. 심지어는 아내가 내가 하는 말을 두고 꼬투리를 잡고 핀잔을 줄 때에도 그랬습니다. 그저 왜 사람들은 내 마음을 몰라줄까? 왜 내 생각을 모르지? 하며 사람들을 원망하거나 분노하기가 일쑤였죠.

　　그러나 비트겐슈타인은 달랐나 봅니다.

　　수많은 철학자들이 형이상학적·철학적 문제에 고민하고 몰두하고 있을 때, 비트겐슈타인은 세상의 수많은 문제들이 특히 철학적 문제들이 그러한 형이상학적 언어로부터 비롯된 오해란 사실에 주목했으니 말이죠.

　　보통은 내 말을 누군가가 오해했다면 그 오해를 풀기 위해 내가 한 말의 내면을 요목조목 따져 설명을 하게 되지요. 하지만 그렇다고 내 마음을 혹은 내 생각을 정확히 전달했는지는 알 수 없습니다. 어떻게 보면 비트겐슈타인은 이처럼 우리가 하는 말들의 오해에 주목했는지 모르겠습니다.

　　내 마음과 생각을 100퍼센트 정확히 표현할 수 있는 언어가 존재한다면 비트겐슈타인이 평생을 바쳐 풀고자 했던 언어의 문제들이 사라지겠죠.

그러나 안타깝지만 현재 그러한 언어는 존재하지 않습니다. 아마 이후에도 그러한 언어는 생겨나지 못할 겁니다. 다만 좀 더 신중한 언어, 좀 더 정확한 언어로 정립되고 표현될 거란 건 믿습니다.

우리의 일상 언어에 대해 고민했던 비트겐슈타인이 있었기에 이후에도 우리의 언어에 대해 사유하고 고민하며 연구하고자 하는 철학자들은 계속 생겨날 테니 말입니다.

이 책을 읽는 여러분들 중 누군가가 언어 철학자 중 한 명이 될 수도 있겠지요.

그렇다면 친구들과의 대화에서부터 혹은 부모님과의 대화에서부터 시작해 보세요. 친구의 말과 행동을, 부모님의 말과 행동을 좀 더 신중하게 듣고 보도록 노력해 보세요.

틀림없이 여러분들은 배려와 이해로 대화를 할 수 있는 사람이 될 수 있을 테니 말입니다.

이남고

| 차 례 |

기획에 부쳐 04

머리말 06

제 1 장 《철학적 탐구》는 어떤 책일까? 12

제 2 장 비트겐슈타인은 누구인가? 28

제 3 장 프레게와 러셀에 대하여 44

제 4 장 말할 수 없는 것에 대해서는 침묵하라! 64

제 5 장 언어는 세계를 그림 그린다 84

제 6 장 명제란 무엇일까? 104

제 7 장 《논리철학논고》에서 《철학적 탐구》로의 전환 126

제 8 장 파리통에서 빠져나오기 142

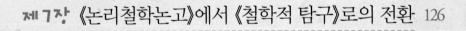

제9장 언어는 게임이다 160

제10장 규칙을 따른다는 것은? 182

제11장 사적 언어란 없다 204

제12장 비트겐슈타인과 우리 212

비트겐슈타인을 둘러싼 몇가지 명제

형이상학 222

부지깽이 스캔들 224

비판 철학 226

아우구스티누스 《고백록》 228

논리학 230

비트겐슈타인과 그의 친구들 232

비트겐슈타인의 고향, 오스트리아 빈 236

제1장

《철학적 탐구》는 어떤 책일까?

비트겐슈타인의 《철학적 탐구》는 20세기의 가장 중요한 철학적 저서라고 할 수 있어.

사실 이 책은 비트겐슈타인이 살아 있을 때 출판되진 않았어.

엄밀하게 말해서 비트겐슈타인이 살아 있을 때 출판한 책은 《논리철학논고》 단 한 권뿐이야.

비트겐슈타인은 《논리철학논고》를 쓰고 나서 자신이 철학의 모든 문제를 해결했다고 생각했거든.

철학 완전 정복!

그래서 그는 더 이상 케임브리지 대학에 남지 않고, 초등학교 교사가 되기 위해 오스트리아로 갔단다.

철학에 대해 더 이상 고민할 필요가 없어.

안 돼! 가지 마~

그러나 시간이 지날수록 점차 《논리철학논고》가
완벽하지 않다고 느끼기 시작했어.

뭔가
아쉬워.

《논리철학논고》에 많은 허점들이 있으며, 자신이 철학에
대해서 아직 할 일이 남았다는 것을 깨닫게 되었지.

내가 성급했어.
넌, 허점투성이야.

다시 철학계로 복귀한 비트겐슈타인은
죽을 때까지 계속 사유하고 글을 썼어.

무리하시면
안 됩니다.

하지만 그는 발전된 생각들을
출판하지 않았어.

자신의 연구 결과물에 대해서 여전히
만족하지 못했기 때문이야.

똑바로 해
똑바로.

또한 철학이 이론을 만들어 내는 것이 아니라, 하나의 활동이
되어야 하기에 그러한 방식의 사유 활동을 책으로 엮어 낸다는
것이 쉽지 않았지!

해도 해도
끝이 없구나!

결국 그가 살아 있는 동안 책은 출판되지 못했어.

우리가 지금 알고 있는 비트겐슈타인의 저서들은 《논리철학논고》를 제외하면 제자인 리즈와 앤스컴 등이
비트겐슈타인이 생전에 써 놓았던 원고들을 정리해서 엮은 것들이야.

《철학적 탐구》도 바로 그러한 책 중 하나이지.
그러나 《철학적 탐구》는 매우 중요한 책이야.

《논리철학논고》가 비트겐슈타인의 전기 철학을 대표한다면
《철학적 탐구》는 비트겐슈타인의 후기 철학을 대표하는 저서로
평가되고 있어.

그의 《논리철학논고》는 매우 짧은 책이야.

이 정도야 반나절이면 거뜬히 읽을 수 있지.

하지만 어렵기로 치면 둘째가라면 서러울 정도야.

아이고 머리야.

경구나 잠언과 같이 매우 절제된 명제들이 '1.', '1.1', '1.1.1', '2.', '2.1', '2.1.1' 순으로 번호가 매겨져 있어서 독자들은 저자가 말하고자 하는 바를 이해하기가 매우 어려워.

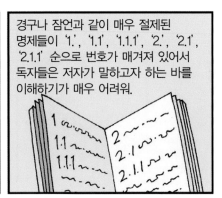

실제로 이 원고를 프레게*에게 보여 주었을 때, 프레게는 이 책을 전혀 이해할 수 없었지.

나 어때요?

글쎄, 너무 어려워.

뛰어난 철학자였던 러셀**마저도 완벽하게는 이해하지 못했다고 생각할 정도였으니 《논리철학논고》가 얼마나 어렵게 쓰인 책인지 알겠지?

내가 서문을 달아 주지.

날 이해 못한 당신이 어떻게!

*고틀로프 프레게(Gottlob Frege, 1848~1925) – 독일의 논리학자 · 수학자 · 철학자.
**버트런드 러셀(Bertrand Arthur William Russell, 1872~1970) – 영국의 철학자 · 수학자 · 사회 평론가.

《철학적 탐구》는 준비한 시간이 길었던 만큼 분량도 당연히 길어졌지.

철학적 탐구

그리고 《논리철학논고》가 마치 경구나 잠언처럼 쓰였다면, 《철학적 탐구》는 어떤 사람과 대화하는 것처럼, 혹은 선생님이 학생에게 설명하는 것처럼 쓰였어.

경구 논리철학논고 잠언 철학적 탐구 학생

그러면 《철학적 탐구》는 《논리철학 논고》보다 더 쉬울 것 같다고?

《철학적 탐구》는 마치 자신의 입장을 설명하는 것처럼 하다가 갑자기 가상의 대화자가 등장해서 반론을 펴고,

다시 그에 대한 재반론을 펴는 식으로 쓰였어.

그래서 읽다 보면 무엇이 본래 비트겐슈타인의 의견인지 파악하기가 힘들어.

또한 어떠한 명쾌한 결론이 없고, 끊임없이 생각이 꼬리에 꼬리를 물고 계속 이어지는 식이야.

《철학적 탐구》는 1번부터 600번 대까지 번호로 매겨진 독립적인 사유들이 연속된 형식이야.

하지만 각 번호가 매겨진 문단들 사이에 어떤 특정한 순서나 관계성 같은 것도 찾기가 어려워.

그렇다면 이렇게 이해하기도 힘들고 어떤 특정한 이론을 보여 주지도 않는 이 책이 왜 이렇게 유명하게 되었고, 철학계에서 중요하게 평가받고 있는 것일까?

그것은 비트겐슈타인의 철학이 그동안 조금씩 발전되어 왔던 서양 철학의 역사에서 가장 근본적이며 혁명적인 전환을 가져왔기 때문이야.

비트겐슈타인에 의한 철학의 전환을 우리는 흔히 '언어적 전회(linguistic turn)'라고 부른단다.

그동안 철학자들은 '죽음', '존재', '생성', '자유의지', '신'과 같은 형이상학적 문제들이나, 우리들이 어떻게 외부의 대상들을 객관적으로 알 수 있었는가 등을 따지는 인식론적 문제들에 사로잡혀 있었어.

그리고 '존재란 무엇인가?'와 같은 알쏭달쏭한 질문들을 쏟아 놓았고

이게 뭐야?

'경험을 통해 지식을 얻는가?', '이성을 통해 지식을 얻는가?' 등을 놓고 피터지게 싸워 왔지.

하지만 정작 그러한 심오한 주제들이 결국 언어를 통해 사유되고, 그것들이 다시 언어를 통해 표현되고 있다는 사실엔 크게 관심을 갖지 않았어.

하지만 생각해 봐!

서로의 생각이 다를 경우 누구의 생각이 옳은가를 따지기 위해 토론을 할 때도 언어를 사용하잖아?

그렇다면 언어는 우리의 생각의 시작과 끝이며, 모든 것이라고 해도 과언은 아닐 거야.

시작 ➡ 끝

이것이 영국과 미국에서 20세기부터 본격적으로 전개된 분석 철학의 핵심 주제이며, 우리가 만나고 있는 비트겐슈타인의 평생의 화두였어.

분석 철학

어쩌면 언어의 비밀을 모두 풀어낸다면, 그것이 우리에게 세상을 모두 다 드러내 보여 주지 않을까?

꼭 풀고 말겠어!

비트겐슈타인은 다음과 같은 말을 했단다.

나의 전반적인 작업은 명제의 본성을 설명하는 데 있다.

여기서 명제의 본성이란, 곧 언어의 본성을 의미해.

우리는 비트겐슈타인의 이 말에서 그가 평생을 통해 수행한 작업의 성격을 알 수 있단다.

그는 그동안의 철학적 난제들이 모두 언어를 제대로 사용하지 못했기 때문에 생겨난 오류들일 뿐이라고 생각했어.

이게 다 너 때문이야.

만약 그러한 오류들을 올바른 언어 사용을 통해 모두 교정한다면 철학적 문제들도 사라질 것이라고 생각했지.

문제를 다 풀면 용서해 주지.

이러한 생각은 비트겐슈타인의 모든 저서들에 나타난 중심 주제라고 할 수 있어.

《철학적 탐구》는 그러한 비트겐슈타인의 평생의 여정에서 마지막 종착지라고 할 수 있는 책이야.

사람들은 비트겐슈타인의 철학을 전기와 후기로 구분한단다.

《철학적 탐구》는 후기 철학에 들어가.

물론 전기와 후기 철학 모두 언어의 본성에 관해 다루고 있긴 하지만 후기 철학은 전기 철학과 많은 점에서 큰 차이를 보여 주고 있어.

난 너와 달라.

전기 철학의 대표작인 《논리철학논고》에서 비트겐슈타인은 하나의 명제는 실재의 그림 혹은 실재의 모델이라는 이론을 전개했어.

그러니까 고흐가 실재의 해바라기를 보고 그 해바라기를 그리듯이 명제 또는 문장은 실재의 사태 혹은 사건을 단어와 조사 등 문장의 구성 요소들을 사용하여 그린다는 것이지.

그리고 그 명제 혹은 문장은 실재의 논리적 구조를 본떠서 그리게 된다는 것이야.

무슨 말인지는 다음 페이지에서 좀 더 자세히 살펴보도록 할게.

하지만 후기 철학의 대표작인 《철학적 탐구》에서 비트겐슈타인은 언어를 완전히 다르게 인식하고 있어.

언어는 놀이야.

《철학적 탐구》에서 비트겐슈타인은 '언어 게임', 혹은 '언어 놀이' 라는 말을 사용하고 있단다.

언어 놀이 한번 해 볼까?

후기 철학에서 비트겐슈타인은 언어를 하나의 게임 혹은 놀이처럼 생각한 거지.

언어를 하나의 게임 혹은 놀이처럼 생각한다면, 명제 혹은 문장은 그 게임이 이루고자 하는 것을 위한 하나의 도구가 되는 것이지.

또한 게임이라면 반드시 규칙이 있듯이 언어 게임 역시 그 게임이 규정하고 있는 규칙들이 있고, 명제는 그러한 규칙들에 의해 지배를 받게 돼.

핸들링!

헉! 난 골키퍼인데.

《논리철학논고》에선 하나의 명제가 완전히 분석되었을 때, 최종적으로 남는 것은 요소 명제들의 진리 함수라고 설명되고 있어.

여기서 요소 명제란, 물리학에서 말하는 원자와 같은 것으로 생각하면 돼.

즉 우리의 언어에서 더 이상 분석될 수 없는 것이 바로 요소 명제라는 말이지.

요소 명제들은 복합 명제들을 이루고 무수히 많은 결합들을 이루어 낼 수 있어.

마치 화학식에서 각 원자들이 결합되어 특정한 분자 구조를 이루듯이 말이야.

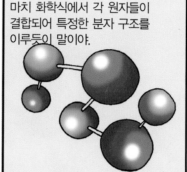

그렇게 요소 명제들도 결합하여 더 복잡한 복합 명제들을 이루어 나간다는 거야.

그리고 물 분자(H_2O)가 수소 원자 두 개와 산소 원자 한 개와 결합할 때 만들어지듯이

우리의 언어에서 요소 명제들이 결합하여 참 혹은 거짓의 가능성을 가지는 복합 명제가 만들어질 수 있는 것은 요소 명제들의 진리 함수적인 관계에 의해 결정된다고 주장하고 있어.

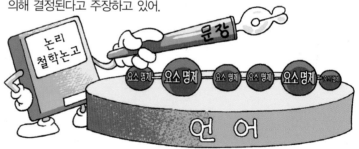

여기서 말하는 진리 함수란, 그 명제가 참(True) 혹은 거짓(False)의 함수 값을 갖는 함수를 말해.

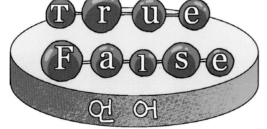

진리 함수를 이해하기 위해선 비트겐슈타인 이전의 논리학의 발전을 이해할 필요가 있어.

방금 우리가 살펴보았듯이, 명제라는 것이 요소 명제들이 논리적 구조로 결합되어 있는 것이라고 한다면

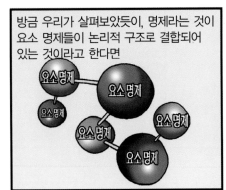

언어가 아닌 실제 세계에서 일어나는 사실들은 원자적 사실들이 논리적 구조로 결합되어 있는 것이라고 할 수 있어.

그리고 하나의 명제가 실제 세계에서 일어나는 하나의 그림으로 그려질 수 있는 것은

언어와 이 세계가 함께 가지고 있는 논리적 구조 때문이야.

여기서 중요한 것은 비트겐슈타인이 마치 물리학자나 화학자가 물질을 분자와 원자들로 이루어진 복합적인 구성물로 보듯이, 여러 가지 사실들이 원자적 사실들로 분해될 수 있다고 여기는 점이야.

예를 들면 '비가 온다.', '검은 고양이 한 마리가 잠을 자고 있다.'와 같은 사실들이 원자적 사실들로 분해될 수 있다고 생각한다는 것이지.

그리고 이러한 사실들을 묘사하는 언어 역시 요소 명제들로 쪼개질 수 있다는 거야.

그러므로 언어는 요소 명제들이 원자적 사실들을 정확하게 지시할 때, 다시 말해 그림을 정확하게 그릴 때 올바르게 사용될 수 있다는 거야.

그러므로 철학자들은 언어를 요소 명제에 이르기까지 잘 분석하고, 그 요소 명제들 사이의 진리 함수를 계산하여 그 언어가 사실을 잘 그리고 있는지를 따져 보는 일이라고 말했어.

똑바로 그려. 틀리게 그리면 혼날 줄 알아!

걱정하지 마. 똑같이 그려 줄 테니.

만약에 우리의 언어가 사실을 제대로 그리고 있지 못하다면, 철학자들이 언어를 좀 더 오류 없이 만들어야 한다는 거야.

이 정도면 뭐….

이렇듯 초기의 비트겐슈타인은 우리의 일상 언어를 그다지 신뢰하지 않았어.

언어는 정리 안 된 서랍장 같아.

철학자는 그 서랍장의 물건들을 순서를 정하여 분류하고 깔끔하게 정리해야 한다고 비트겐슈타인은 주장했지.

바로 이런 일이 우리 철학자들이 할 일이지.

그리고 《논리철학논고》에서 모든 매뉴얼을 만들어 놓았기 때문에 철학의 모든 문제는 해결되었다고 생각했어.

이거 하나면 문제없어.

그러나 그는 머지않아 《논리철학논고》에서 가졌던 자신의 언어관을 의심하기 시작했어.

다시 생각하니 너 좀, 이상해.

자신이 생각했던 이상적인 언어가 실제로 사용되는 일상 언어의 왜곡을 바로잡을 수 있는 처방전이 아니라

너 요즘 반항이 심해.

아니, 제가 뭘?

오히려 언어의 본질을 왜곡시키고 있는 상상적 이론에 불과하다는 것을 깨닫게 되었어.

너나 잘해!

그의 후기 저서인 《철학적 탐구》는 바로 이러한 깨달음에서 시작된 기나긴 여정의 결과물이었던 거야.

드디어 찾았어!

비트겐슈타인은 《논리철학논고》에서 자신이 저질렀던 잘못을 다음과 같이 말했어.

진술의 엄격하고 분명한 논리적 구조의 규칙이 이해의 매개 속에 숨겨져 있는 무엇으로서 우리에게 보인다.

그러나 이와 같은 생각은 어디서 왔던가? 이러한 생각은 우리의 코에 걸린 안경알과 같아서 우리는 무엇이든 그 안경알을 통해서 봐야 하지만, 우리는 그 안경알을 벗어 버려야 하겠다는 생각을 전혀 하지 않는다.

나보고 하는 소린가?

비트겐슈타인은 자신이 초기에 했던 철학은 언어와 세계를 있는 그대로 본 것이 아니라, 그가 안경이라고 표현하고 있는 틀을 통해서 보았기 때문에 틀렸다는 거야.

진짜 세계를 보고 싶다면 안경을 벗어 던져!

그리고 그 틀은 바로 철학자들의 병이라고 할 수 있는 형이상학적 사고의 틀을 의미해.

그래 이딴 건 필요 없어!

내가 말한 안경은 그 안경이 아니야

따라서 비트겐슈타인은 그가 이상적인 언어 이론의 틀 속에 끼워 맞추려고 했던 일상 언어를 다시 풀어 주어야 한다고 생각했어.

바로 이상적인 언어의 틀을 말하는 거야.

그리고 언어를 다루는 방식을 일상 언어가 그저 어떻게 사용되고 있는지 그 양상들을 관찰하고 기록하는 일로 바꾸었지.

새로운 관점으로 일상 언어를 살펴본 비트겐슈타인은

언어가 획일적인 법칙을 갖는 것이 아니라 무수하게 다양한 양상으로 사용된다는 사실을 새롭게 깨닫게 되었어.

즉 한 언어는 어떤 대상이나 사실을 그려 주면서 가리키는 것이 아니라, 여러 가지 목적을 위해서 사용된다는 거야.

예를 들어 너희들이 엄마에게 '나 배고파.' 라는 말을 했다고 해 보자.

《논리철학논고》에서라면 '나 배고파.' 란 언어는 '나' 는 현재 배고픔이란 상태를 느끼고 있다는 사실을 그렸다고 설명할 거야.

나 배고파
'나'는 현재 배고픔을 느낌

하지만 《철학적 탐구》에서의 비트겐슈타인이라면 그건 굉장히 웃기는 설명이라고 말할 거야.

'나 배고파.' 라는 말은 엄마에게 '빨리 밥을 줘.' 라고 요청하는 말일 뿐, '나' 가 현재 느끼는 배고픔의 상태를 지시해서 보여 주는 데 사용되지는 않았다고 말할 테니까 말이야.

나 배고파
빨리 밥을 줘(요청)

여기서 중요한 것은 그 말이 어떤 목적을 가지고 사용되었다는 거야.

즉 언어는 그 쓰임이 중요하다는 것이지.

《철학적 탐구》에서 비트겐슈타인은 이렇게 말했어.

언어의 의미를 안다는 것은, 언어가 어떻게 쓰이는가를 안다는 것이다.

누가 스타크래프트를 안다고 말했다면 그 말이 스타그래프트의 의미를 아는 것이 아니라 스타크래프트란 게임을 할 줄 안다고 말한 것이란 거야.

너, 스타그래프트 알아?

당연하지.

그래서 비트겐슈타인은 《철학적 탐구》에서 언어의 쓰임새를 '게임'에 비유해서 표현한단다.

바둑, 장기, 축구, 농구, 스타크래프트 등 무수한 게임이 존재하듯이

언어 역시 하나의 이상적인 언어가 있는 것이 아니라 무수히 많은 언어 게임들이 존재한다고 했어.

그리고 무수히 많은 언어 게임들을 하나로 묶을 수 있는 '언어 게임의 본질' 같은 것은 없어. 서로 공유하는 법칙도 없고 말이야.

만약 축구 선수와 프로 게이머가 스타크래프트를 한다고 해 보자.

저랑 스타 한판 어때요?

좋아요.

축구 선수가 경기 중에 전반 45분을 뛴 후 10분을 쉰다고 게이머에게도 스타크래프트 게임 중 10분 휴식을 요구한다면 이것은 난센스일 거야.

10분간 휴식~

네, 그게 무슨 말이죠?

농구에서 멀리서 슛을 성공시키면 3점이 인정된다고 축구에서도 중거리 슛은 3점을 줘야 한다고 주장하면 말이 안 되듯이 말이야.

빵

촤악

3점 슛 골인~

심판

단지 각 게임들 간엔 여러 가지 측면에서의 유사성이 있을 뿐이지.

우린 모두 공으로 게임을 하지.

31

그것이 바로 《철학적 탐구》에서의 핵심적 개념 중 하나인 가족 유사성이란다.

철학적 탐구

유사성

31

비트겐슈타인은 지금까지 철학자들이 한 일은 축구 선수와 농구 선수의 이런 억지 같은 논리였다고 말해.

이건 억지야.

빵

촤악

비트겐슈타인은 일상 언어를 있는 그대로 관찰해서 그것이 어떻게 쓰이고 있는지를 서술하는 작업이 철학자의 일이라고 생각했고, 우리가 살펴볼 《철학적 탐구》에서 바로 그러한 일을 했어.

휘릭

철학적 탐구

7장부터 좀 더 자세히 《철학적 탐구》의 내용을 살펴보겠지만, 비트겐슈타인의 이러한 주장은 '일상 언어'에 대한 관심을 철학계에 불러일으켰고

'언어적 전회'라는 새로운 철학적 방식을 만들어 내는 데 커다란 역할을 했단다.

우리가 지금까지 살펴보았듯이 《철학적 탐구》는 《논리철학논고》와 사뭇 다른 방향으로 언어를 다루고 있어.

난 언어를 게임이라고 생각해.

비트겐슈타인은 '언어적 전회'라는 새로운 혁명을 일으켰던 영국과 미국의 분석 철학계의 중심에 서 있던 사람이었어.

《논리철학논고》가 분석 철학 초기의 흐름에 서 있었다면, 《철학적 탐구》는 좀 더 다양한 분야로 전개된 분석 철학의 양상을 담고 있는 책이라고 볼 수 있지.

비트겐슈타인의 책들은 매우 어려워.

그는 고도의 결벽증 환자였고 완벽주의자였어.

1밀리의 오차도 용납할 수 없어.

그러니 그의 책들도 고도의 결벽증과 완벽주의적인 완고함을 지니고 있지.

그래서 그의 책을 읽는 동안 그 어떠한 책을 읽을 때보다 더 천천히 생각하고 또 그 생각을 다시 다듬고 해야 할 거야.

뭔 책이 재미도 없고 대충 읽어야겠다.

뭐라고!

그렇지 않으면 비트겐슈타인이 불같이 화를 낼지도 몰라.

지금 내 책을 모독하는 거야?

실제로 그는 지나치게 진지하고 괴팍한 성격이라 보통 사람들은 그와 친하게 지내기 어려웠지.

아우 정말 괴팍해!

완벽주의자!

결벽증 환자!

아우~ 귀 가려워.

하지만 그러한 괴팍함 속에서 철학에 자신의 모든 것을 집중시킨 그의 열정을 엿볼 수 있단다.

얍-

철학

너희들도 《철학적 탐구》를 대할 때 그렇게 진지하게 모든 것을 집중하여 책을 읽어 나갔으면 해. 그렇지 않으면 너희들은 이 책의 아무것도 이해할 수 없을 것이고, 영원히 비트겐슈타인과는 만나지 못할 테니까 말이야.

분석 철학

아저씨 어디 가요?

마저 설명해 주셔야죠?

더 배우고 싶다면 나를 잘 따라와~

제2장

비트겐슈타인은 누구인가?

루트비히 비트겐슈타인(Ludwig Wittgenstein)은 20세기의 철학자들 중에서 철학사에서 가장 중요하면서도 큰 변화의 흐름을 만들어 낸 주인공이야.

그 중요하고 큰 흐름이란 바로 '분석 철학' 이라는 새로운 철학이었어. 분석 철학은 철학의 모든 문제가 언어 때문에 생겨난다고 보았어.

존재란 무엇인가?

뭐라고 하는 거야?

실존이란 무엇인가?

따라서 언어의 문제가 중요하고 알쏭달쏭한 언어를 아주 잘 분석해서, 그 뜻을 명료하게 만들어야 한다고 주장했지.

시조님~

이러한 분석 철학은 특히 영국과 미국을 중심으로 20세기에 활발하게 연구되었단다.

비트겐슈타인은 이러한 분석 철학계에서 가장 중요한 인물이야.

자, 그럼 비트겐슈타인은 어떠한 삶을 살았는지 살펴보도록 할까?

비트겐슈타인은 1889년 오스트리아의 빈에서 태어났어.

그의 아버지의 이름은 카를 비트겐슈타인인데, 오스트리아에서 손꼽히는 부자 중의 한 사람이었어.

카를은 유태인으로 오스트리아에서 자수성가한 사업가이자 철강 재벌이었지.

한마디로 말해 루트비히 비트겐슈타인은 지금의 빌 게이츠와 같은 어마어마한 부자를 아버지로 두었다고 할 수 있어.

카를 비트겐슈타인은 아내 레오폴디네와의 사이에서 5남 3녀를 두었고, 루트비히는 막내로 태어났어.

내가 언제 이렇게 많이 낳았지?

루트비히의 형과 누나들은 모두 뛰어난 천재들이었단다. 어린 시절엔 오히려 형과 누나들의 그림자에 가려 빛을 보지 못했을 정도였어.

특히 음악과 같은 예술 분야에서 다들 뛰어났지.

그의 형들 중 하나인 파울 비트겐슈타인은 당시 유럽 최고의 피아니스트이기도 했단다.

하지만 파울은 전쟁 중 오른팔을 잃는 불운을 겪었지. 그래서 라벨이란 유명한 작곡가가 그를 위해 왼손을 위한 피아노 소나타를 작곡해 준 일도 있었어

클림트*와 같은 화가들이 루트비히 누나의 초상화를 그려 주기도 했고 말이야.

*구스타프 클림트(Gustav Klimt) - 〈입맞춤〉으로 유명한 오스트리아의 화가.

막내였던 루트비히는 이러한 환경 속에서 부족함 없이 사랑을 듬뿍 받으며 자랐단다.

사랑한다, 루트비히!

1903년 루트비히 비트겐슈타인은 린츠 국립 실업 학교에 입학하게 돼.

린츠

린츠 국립 실업 학교는 일종의 기술 학교라고 볼 수 있어.

당시 엘리트들은 모두 김나지움이란 인문 학교에 갔는데 비트겐슈타인은 기술 학교로 갔던 거야.

인문 학교

기술 학교

루트비히는 어릴 적부터 손으로 뭔가를 만들고 기계를 다루는 것을 좋아했어.

독일어 문화권에선 기술 교육에 대한 편견이 그리 심하지 않아.

하지만 린츠에서 루트비히는 그리 뛰어난 학생은 아니었어. 친구들과 사이도 그리 좋지 못했고 학교 성적도 별로였단다.

수근 수근

60

여기서 잠깐~!

한 가지 재미있는 역사적 사실을 말해 줄게.

루트비히가 린츠 실업 학교에 입학하고 1년이 지난 후 이 학교에 입학한 매우 유명한 사람이 있단다. 그의 이름은 너희들도 아마 잘 알고 있을 거야.

아니, 당신은!

바로 히틀러니까.

한 명은 20세기 철학의 흐름을 바꾸어 놓았고, 또 한 명은 20세기 역사를 대재앙으로 바꾸어 놓았지.

1906년 비트겐슈타인은 린츠 실업 학교를 졸업하고 베를린 공과대학에 진학해.

그리고 1908년에는 지금의 MIT처럼 유명했던 영국의 맨체스터 공과대학에 들어가 비행기의 제트 엔진을 연구하게 된단다.

그런데 왜 공대생이 갑자기 철학도가 되고자 했을까? 조금 생뚱맞지 않니?

비트겐슈타인은 제트 엔진을 연구하면서 수학에 관심을 가지기 시작했어.

항공 공학에서 수학은 아주 필수적이지.

점점 수학에 빠져가던 중 수학의 기초에 대한 분야로 관심이 집중되기 시작했지.

당시 수학계에선 다양한 수학의 분야들을 하나로 받쳐 줄 수 있는 수학의 기초를 어떻게 수립할 것인가가 가장 뜨거운 화두였지.

튼튼하게 만들어야 해!

수학계

수학의 기초

치이익

이러한 수학의 기초에 관하여 뜨겁게 논의를 나누던 학자들은 러셀, 칸토어*, 프레게 같은 학자들이었어.

*게오르크 칸토어(Georg Cantor) - 고전 집합론을 창시한 독일의 수학자.

비트겐슈타인은 그렇게 프레게와 러셀 같은 수학자, 철학자에게 관심을 가지게 되고 그들의 책을 읽게 된단다.

1911년 비트겐슈타인은 결국 프레게가 있던 독일의 예나 대학으로 가서 프레게를 만났어.

제가 철학적 소질이 있는지 알고 싶습니다.

음, 글쎄….

좋아, 그럼 러셀을 한번 만나 보게.

비트겐슈타인은 다시 독일에서 영국으로 와 케임브리지에 있던 러셀을 만나게 된단다.

교수님!

비트겐슈타인과 러셀의 만남은 두 사람 모두에게 커다란 삶의 전환점이 되었어.

무슨 일로?

철학에 대해 알고 싶어 왔습니다.

당시 유행하고 있었던 헤겔의 관념 철학을 극복하고 싶어 했던 러셀은 친구인 무어**와 함께 분석 철학의 틀을 만들어 가고 있었어.

철학

견고하게 만들어 보자고!

**조지 에드워드 무어(Georg Edward Moore) - 케임브리지 학파의 한 사람인 영국의 철학자.

하지만 러셀의 시도들은 철학계에서 그리 환영받지 못했어.

아 글쎄… 내 말 좀 들어 봐요.

아, 짜증~ 듣기 싫다니깐.

그런데 어느 날 스물세 살의 젊은 청년이 자신을 찾아와 자신이 철학에 소질이 있는지를 판단해 달라고 한 거야.

그럼 이걸 보고 글을 써 오게.

철학이란

욱!

러셀은 비트겐슈타인에게 철학적 주제에 관하여 한 편의 글을 써 오게 했어.

이 글을 진짜 자네가 썼나?

그리고 비트겐슈타인이 써 온 글을 읽고 러셀은 매우 놀라워했지.

자네는 철학을 하지 않으면 안 되네.

그 일을 계기로 비트겐슈타인은 케임브리지의 철학도가 되었어.

내 수업에 들어오도록 하게.

무엇보다 놀라운 것은 그가 데카르트나 스피노자 또는 헤겔의 책을 단 한 줄도 읽은 적이 없는데도 학부생 이상의 대접을 받고 있었다는 거야.

무어나 러셀은 비트겐슈타인을 자신들의 후계자로 낙점해 놓았을 뿐만 아니라, 동등한 한 명의 철학자로 인정하기 시작했어.

대단한 학생이야!

오히려 러셀은 자신이 비트겐슈타인에게 자극을 받을 때가 더 많았다고 말하기도 했단다.

자네에게서 나도 많은 영감을 받네.

하하하하~ 정말인가요?

아마 비트겐슈타인이 케임브리지가 아닌 다른 곳에서 철학 공부를 시작했다면 지금 우리가 알고 있는 비트겐슈타인은 존재하지 않았을 거야.

철학적 생각

보통 다른 학교들은 과거의 철학자들이 연구해 놓은 것을 공부하는 방식을 취했기 때문이었지.

너희들은 요즘 누굴 연구해?

난 데카르트.

난 스피노자.

하지만 케임브리지에선 철학이란 자신만의 독특한 사유를 전개해 나가는 것이란 분위기가 있었고

비어 있으니 채우기만 하면 돼!

철학적 생각

무엇보다 러셀과의 만남이 비트겐슈타인의 철학적 발전에 중요한 환경이 되었어.

꼭 철학을 해 보게!

시간이 지나면서 비트겐슈타인은 케임브리지에서 가장 주목받는 철학자가 되었단다.

비트겐슈 타인이다!

그는 러셀과 무어의 수업을 통해 논리학을 철학의 가장 핵심적인 분야로 여기고 열심히 연구했어.

당시는 거의 2,000년 동안 확실한 진리로 여겨져 왔던 아리스토텔레스의 논리학이 여전히 받아들여지고 있던 때였어.

당신이 진리십니다.

하하하~ 쑥스럽구만

논리학

러셀과 프레게는 그들의 새로운 논리학, 즉 기호 논리학을 통해서 아리스토텔레스의 논리학을 극복하고자 했단다.

이 기호 논리학으로 당신을 넘어서고야 말겠소.

기호 논리학

비트겐슈타인은 이러한 러셀과 프레게의 논리학을 연구했어.

잘되고 있나?

아, 교수님.

그리고 무엇보다도 자신만의 독창적인 사유를 계속 수행해 갔지.

독창성

철학적 생각

1913년 그는 논리학을 좀 더 깊이 연구하기 위해 유럽의 변두리인 노르웨이의 시골로 들어갔어.

조용 하구나~

노르웨이의 산골에 처박혀 모든 철학적 문제를 끝장내려 했지.

가만 두지 않겠어!

철학

하지만 관광객들이 찾아와 시끄럽게 굴자

시끌 시끌

아이고 머리야.

그는 잠시 빈으로 돌아오게 돼.

그러다가 1914년 제1차 세계대전이 발발하게 되었고, 비트겐슈타인은 오스트리아군으로 참전하게 된단다.

비트겐슈타인은 왜 전쟁에 참가했을까?

그가 애국심이 깊어서? 그건 아닐 거야.

내 얘길 하는 거야?

그는 오히려 죽음과 맞서는 경험을 통해 자기 영혼의 자유를 시험해 보고 싶었던 거야.

이야~

이봐, 위험해!

그는 일부러 최전선에 지원했고 매우 위험한 상황에 자진하여 뛰어들곤 했단다.

그래서 그는 훈장까지 받기도 했어.

하지만 전쟁 기간 동안 그는 한편으론 굉장히 괴로워했어.

철학적 토론을 할 사람이 없구나.

그는 배낭에 노트를 넣고 다니며 틈틈이 글을 쓰기 시작했어.

글이나 써야겠다.

그것이 후에 그의 전기 철학을 대표하는 저서인 《논리철학논고》의 원고가 되었단다.

논리 철학논고

1918년 비트겐슈타인의 조국인 오스트리아는 전쟁에서 패했고, 그는 포로 수용소에 수감되었어.

그의 가족들이 돈을 써서 비트겐슈타인을 빼내려고 했지만, 그가 거절했어.

10000

빼 줄게.

싫어. 동료들과 함께할 거야.

그러한 비트겐슈타인의 태도에 더욱 노심초사한 건 케임브리지의 영국인들이었단다.

뭐! 거절했다고?

러셀은 비트겐슈타인이 전쟁 기간 동안 썼던 그 원고가 몹시 걱정되었어.

별일 없어야 할 텐데.

러셀은 훗날 미국의 경제 공황을 해결하게 될 유명한 경제학자 케인스에게 도움을 청해 그 원고를 빼내 오지.

원고

러셀은 그 원고를 보고 의아하게 생각했어.

?

논리학의 문제들을 좀 더 분명하고 명석하게 해결해 줄 것으로 기대했던 것과는 달리 비트겐슈타인의 글은 신비주의적인 색채를 띠고 있었거든.

'말할 수 있는 것' 과 '말할 수 없는 것' 을 구분하고, '말할 수 있는 것' 은 논리학의 대상이지만 '말할 수 없는 것' 은 우리의 언어의 한계를 뛰어넘기에 침묵해야 한다.

신비주의

비트겐슈타인의 글

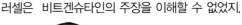
러셀은 비트겐슈타인의 주장을 이해할 수 없었지.

도대체 뭐라고 하는 거야?

이상한 글로 가득하잖아!

러셀은 그것이 과학적 이론과 반대되는 신비주의적 입장을 취한다고 생각했고

선생님~

정말 싫어!

그러한 신비주의적 입장을 거부해 온 러셀에게는 비트겐슈타인의 주장이 매우 어색했지.

교수님~

교수님 다시 잘 좀 보세요.

흥!

1919년 비트겐슈타인은 수용소에서 풀려나게 돼.

그에겐 막대한 유산이 있었지만 그 재산을 모두 형제들에게 나누어 주었고, 자신에게는 단 한 푼의 돈도 돌아오지 못하게 했지.

이건 재정적 자살 행위야.

그래도 난 필요 없어.

수용소를 나온 비트겐슈타인은 러셀을 만났고, 그에게 자신이 쓴 원고에 대해 설명을 해 주었어.

하지만 두 사람의 대화는 잘 되지 않았지.

별로야.

그리고 비트겐슈타인이 쓴 원고의 출판 문제도 잘 해결되지 않았어.

출판사

진가를 몰라주다니?

하지만 비트겐슈타인은 어찌 되었건 그 원고로 모든 철학적 문제를 해결했다고 생각했어.

케임브리지로 돌아갈 필요는 없겠어.

비트겐슈타인은 교사가 되기로 결심하고 사범 학교에 들어가게 돼.

철학

철학은 이제 그만~

1920년 그는 오스트리아의 동북부에 있는 작은 시골 마을 트라텐바흐의 초등학교 교사로 부임했어.

선생님은 비트겐슈타인이라고 한다.

그가 초등학생을 가르치고 있던 1921년에, 전쟁터에서 썼던 원고가 《논리철학논고》란 제목으로 출판되었단다.

논리 철학논고

하지만 그 책에 실린 러셀의 서문을 비트겐슈타인은 별로 마음에 들어하지 않았어.

뭐야 이 서문은?

러셀의 서문이 자신의 생각을 전혀 이해하지 못했다고 생각했거든.

러셀~ 당신 정말 왜 이래~?

이 일이 있은 후로 두 사람의 우정은 금이 가기 시작했어.

우 정

비트겐슈타인의 시골 교사 생활도 그리 순탄치 못했지. 그는 학생들에게 너무 많은 기대를 걸었어.

왜 내가 내준 숙제를 안 해 온 거야?

하지만 시골 마을의 학생들은 커서 농사나 지어야 하는 자신들에게 공부를 못한다고 화를 내는 선생님을 이해할 수 없었어.

학생이면 공부를 열심히 해야 하는 건 당연한 거야.

비트겐슈타인은 시골 마을에서 평판이 아주 안 좋아지게 되었어.

우리 선생님 정말 이상해.

맞아!

학생들에 대한 과도한 체벌도 종종 문제가 되었지.

공부하라는데 뭐가 문제야!

그는 학생들과의 사이뿐만 아니라 학부모들과의 사이도 매우 나빴어.

저런 선생님에겐 배울 필요 없다.

1926년, 비트겐슈타인은 결국 교사직을 포기하고 만단다.

교사는 나하고 맞질 않아.

잠깐 동안 수도원의 보조 정원사로 일하기도 했지.

그러다가 막내 누나인 마르가레테가 살 집을 건축하는 일에 참여했어.

비트겐슈타인은 그 집을 철저하게 논리학적 정신을 구현하여 설계했어.

0.01밀리의 오차도 허용하지 않겠어.

그럼 사람이 살아가기엔 너무 숨 막히지 않을까?

그 집은 '비트겐슈타인 하우스'로 불리며 1970년대에 오스트리아의 문화재로 지정되었어.

1927년 무렵에 비트겐슈타인은 당시 빈 학파로 불리던 논리 실증주의자들을 만나게 돼.

논리철학논고

안녕~

카르나프, 바이스만, 파이글 등의 과학자들로 구성 된 빈 학파는 비트겐슈타인의 《논리철학논고》에 많은 영향을 받았지.

논리철학논고

그들은 과학적으로 혹은 물리적으로 검증할 수 없는 모든 명제와 언어들은 학문의 영역에서 배제해야 한다고 주장했어.

이건 학문이라 할 수 없어.

학 문

1929년 비트겐슈타인은 다시 케임브리지로 돌아오게 돼.

네가 완전하다고 생각한 건 나의 착각이었어.

논리철학논고

꽁~

거기엔 초등학교 교사를 하면서 어린아이들에게 언어를 가르쳤던 경험도 큰 영향을 미쳤어.

언어란?

그는 《논리철학논고》에서 우리의 언어는 특정한 사태를 그린 것이고, 그 언어와 사태 간에는 동일한 논리적 형식이 있다고 주장했었어.

논리철학논고

언어=사태
➡ 논리적 형식

하지만 아이들이 언어를 배울 때, 아이들은 논리적 형식 따위는 전혀 인지하지 못하지만 아무런 불편 없이 언어를 사용하고 자유자재로 응용도 할 수 있다는 것을 교직 생활에서 체험했거든.

우리 선생님 무서워.

공부 좀 못한다고 막 때리고.

대화가 너무 자연스럽잖아!

그냥 무시해. 나처럼 말이야.

숙제 다 했어?

응.

특히 그 무렵, 영국에 와 있던 이탈리아의 경제학자인 스라파*와의 대화는 그의 생각을 더욱 확실하게 해 주었어.

비트겐슈타인은 스라파에게 《논리철학논고》에서 주장한 것처럼 말했어.

> 명제와 그것이 묘사하는 사태는 반드시 동일한 논리적 형식을 띠어야 합니다.

*피에로 스라파(Piero Straffa) – 불완전 경쟁 이론을 제창한 경제학자로 리카도 연구의 일인자.

그러자 스라파는 턱을 손가락 끝으로 쓰다듬는 나폴리인 특유의 몸짓을 하면서 말했어.

> 이 몸짓의 논리적 형식은 뭔가요?

그 몸짓은 나폴리인들이 일상생활에서 자주 사용하는 것으로 고민을 하거나 뭔가를 머릿속에서 계산할 때, 뭔가 의심이 될 때 등 다양한 맥락에서 사용되지.

> 누구지?
> 뭘까?
> 얼마지?

비트겐슈타인의 주장대로라면 거기에도 어떠한 논리적 형식이 있어야 해.

> 설명해 보시죠.

하지만 비트겐슈타인은 스라파의 질문에 답변을 할 수 없었지.

비트겐슈타인은 이제 모든 것을 다시 시작해야 했어.

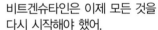

> 좋아!
> 다시 시작 하는 거야.

그는 케임브리지에 돌아와서 박사 학위를 받고 강의를 시작하게 돼. 그리고 새로운 사유들을 계속 하게 되지.

이러한 사유의 결과물들은 그의 후기 철학을 형성하게 되고 그가 죽고 난 뒤 《철학적 탐구》라는 책으로 나오게 된단다.

철학적 탐구

논리 철학논고

후기

전기

비트겐슈타인은 케임브리지에서 거의 신적인 존재로 추앙받게 돼.

교수님~

그만큼 그는 열정적으로 강의했는데, 주로 그의 철학적 사유를 읊조리다가 학생들에게 질문하는 식으로 이루어졌어.

명제란 무엇이라 생각하나?

비트겐슈타인의 옷차림은 매우 간단했고 넥타이 같은 것도 매지 않았단다.

그의 방엔 안락의자 같은 것도 없었으며 벽에도 그림 한 장 걸려 있지 않았어.

극도로 소박한 삶을 살았고 먹는 것 따위에도 거의 관심이 없었지.

맛있다.

그는 한때 수도사가 되고 싶어 했던 것처럼 케임브리지의 교수 생활도 수도사처럼 했단다.

수도 중 방해하지 마시오.

비트겐슈타인은 그렇게 노르웨이와 영국을 오가며 학생들을 가르치며 살았어.

그러다가 1941년 제2차 세계대전이 터졌어.

쾅

2차 세계 대전

오스트리아는 이미 독일과 합병된 상태였고 히틀러의 나치당이 권력을 쥐고 있었어.

권력

그 당시에 비트겐슈타인은 이미 영국의 시민이 되어 있었단다

유대인인 내가 독일 시민이 된다는 건 상상도 할 수 없어.

받아 주지도 않아!

당시 그의 나이는 52세로 전쟁에 참전할 수 없었지. 그래서 그는 전쟁 기간 동안 런던의 한 병원에서 잡역부로 근무했단다.

전쟁이 끝나고 그는 다시 케임브리지로 돌아왔어.

하지만 그는 점차 케임브리지의 생활에 염증을 느끼기 시작했단다.

진정한 철학을 하고 싶다면 교수 같은 일은 절대 하지 말게.

그는 온통 철학적 사유로 모든 삶을 채우고 싶었던 거야.

삶

철학적사유

그리고 그러던 시기에 그 유명한 '부지깽이 스캔들'*이 터지게 되지.

논쟁 중 비트겐슈타인이 옆에 있던 부지깽이를 조금 신경질적으로 흔든 게 문제가 되었어.

휙 휙

*부지깽이 스캔들 - 칼 포퍼와 비트겐슈타인 간에 논쟁 중 생긴 일.

포퍼**는 비트겐슈타인의 그러한 행동을 놓치지 않고 논쟁에 임하는 태도가 글러먹었다고 면박을 주었지.

대화 중에 지금 뭐 하시는 겁니까?

그러자 비트겐슈타인은 한마디 말도 안 한 채 강의실 밖으로 나가 버렸어.

내가 좀, 심했나?

**칼 포퍼(Karl Raimund Popper) - 유대인으로 런던 정치경제 대학의 교수를 역임한 20세기의 위대한 과학 철학자.

당시 비트겐슈타인의 정서가 굉장히 불안했다는 것을 알 수 있는 대목이지.

안절 부절

결국 그는 1947년 케임브리지의 교수직을 그만두었어.

이제 홀가분하군.

그러곤 아일랜드의 시골 마을에 가서 그의 후기 철학적 사유에 전념하게 되지.

철학

그는 1950년 마지막으로 자신의 고향인 오스트리아의 빈에 들러 가족들과 만났어.

잘 왔다. 루트비히~

1951년 케임브리지로 돌아온 비트겐슈타인은 건강이 매우 안 좋아졌어.

콜록!

콜록!

그해 1월에 자신의 제자들인 리즈, 앤스컴, 폰 리히트를 문헌 관리자로 하여 유언장을 썼어.

받아 적게.

그 후 케임브리지의 의사인 베반 박사의 집에서 지내게 되었단다.

무리하시면 안 됩니다.

그해 4월 27일 그는 '확실성에 관하여'란 마지막 글을 쓴 후 의식을 잃었어.

확실성에 관 하 여

그리고 4월 29일 아침 세상을 떠났단다.

그 후, 그의 제자들은 스승이 쓴 원고들을 모아 《철학적 탐구》란 이름으로 출판을 했지.

철학적 탐구

비트겐슈타인

비트겐슈타인은 유럽 최고의 부잣집 아들로 태어났지만, 평생을 가난하게 살았어.

내가 왜, 싫어?

난 철학이 좋아.

철학

명문대를 나와서 결혼을 하고 편안하게 살아갈 수 있었지만, 평생 혼자 고독하게 살다 갔지.

철학

그는 논리학과 언어를 연구한 철학자였지만, 그의 삶은 마치 예술가의 삶 못지않은 뜨거운 열정으로 가득했으며 또 한편으로 수도자가 걷는 구도의 길처럼 경건하기도 했단다.

평생 수도를 하듯 철학과 함께하다 간 거지.

제3장
프레게와 러셀에 대하여

비트겐슈타인의 철학을 만나기 전에 그가 발판으로 삼았던 프레게와 러셀에 대해서 살펴볼 필요가 있어.

뭐지?

비트겐슈타인은 '명제란 무엇인가?'에 관하여 평생 고민했다고 했지?

무엇인가?

명제

그 '명제'는 현대 논리학의 중심 과제 중 하나였단다.

명제

중심 과제

현대 논리학

그렇다면 명제가 무엇인지 알아볼까?

간단히 말하면 문장이라고 할 수 있어.

명제

문장

아래 문장들은 모두 명제들이라고 할 수 있지.

카이사르가 루비콘 강을 건넜다.
1 더하기 2는 3이다.
내일은 비가 오거나 오지 않을 것이다.

명제

그러나 다음과 같은 문장들은 어떨까?

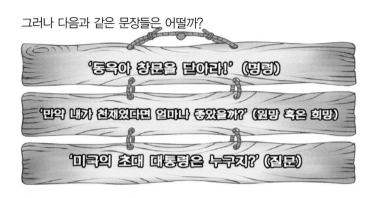

'동욱아 창문을 닫아라!' (명령)

'만약 내가 천재였다면 얼마나 좋았을까?' (원망 혹은 희망)

'미국의 초대 대통령은 누구지?' (질문)

안타깝게도 옆의 문장들은 모두 올바른 문장들이지만, 보통 명제라고 부르지는 않는단다.

그럼 다음 문장을 살펴보자.

만약 비트겐슈타인의 책을 읽는다면 나는 똑똑해질 것이다.

이 문장은 A와 B의 두 명제로 분석 가능하고

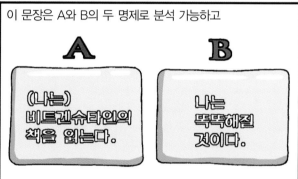

A (나는) 비트겐슈타인의 책을 읽는다.

B 나는 똑똑해질 것이다.

이 두 명제가 '만약 ~면 그렇다면 ~것이다.' 라는 연결 고리로 이어진 것으로 볼 수 있지.

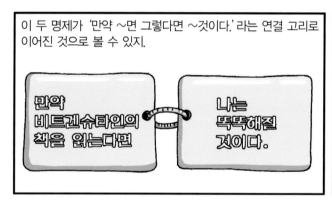

만약 비트겐슈타인의 책을 읽는다면

나는 똑똑해질 것이다.

그러므로 위의 문장은 하나의 명제가 아니라 두 개의 명제를 포함하고 있다고 봐야 할 거야.

(나는) 비트겐슈타인의 책을 읽는다.

나는 똑똑해질 것이다.

지금까지 살펴본 바에 의하면 우리는 명제를 다음과 같이 정리할 수 있어.

명제란 자립할 능력이 있는 직설법 문장이다.

비트겐슈타인은 《논리철학논고》에서 명제가 사고를 표현한다고 주장했어.

바꾸어 말하면, 인간의 사고는 명제로 표현될 수 있지.

만약 어떤 사람이 자유라는 가치가 소중하다는 생각을 했다면

자유… 소중?

'자유라는 가치는 소중하다.' 라는 명제로 표현할 수 있다는 말이야.

자유란 가치는 소중하다.

사고

그래서 비트겐슈타인은 우리가 표현하는 명제와 언어의 본성을 알게 되면

명제

우리가 하는 사고의 본성도 알 수 있게 될 것이라고 믿었어.

명제

사고

안녕~

그래서 그의 철학에서 '명제' 는 매우 중요한 주제 중 하나야.

명제

중요도 1급

'명제' 의 문제는 논리학의 영역에 속한단다.

논리학

명제

논리학의 체계를 세운 사람은 그 유명한 아리스토텔레스야.

논리학

아리스토텔레스의 논리학은 약 2,000년 동안 흔들림 없이 진리로 받아들여졌지.

철학

논리학

아리스토텔레스

Since BC 384

비트겐슈타인이 논리학에 관심을 가졌던 시기에도 프레게와 러셀의 새로운 논리학이 막 태동하고 있었지만

이제 우리의 시대가….

여전히 아리스토텔레스의 논리학은 그 권위를 인정받고 있었어.

아직은 내 시대야.

윽!

논리학

아리스토텔레스 이래로 논리학자들은 명제를 다음과 같이 규정했어.

첫째, 명제는 주어와 술어로 구성되어 있다.

둘째, 명제는 참이거나 거짓일 수 있다.

셋째, 명제들은 서로 어떤 관계를 맺고 있어서 하나의 명제로부터 다른 명제를 추론 또는 연역할 수 있다.

아리스토텔레스는 이러한 명제의 성격을 이용해서 삼단 논법이란 추론 형식을 발견해 냈지.

아니 저것은!

삼단 논법

예를 들면 다음과 같은 것이야.

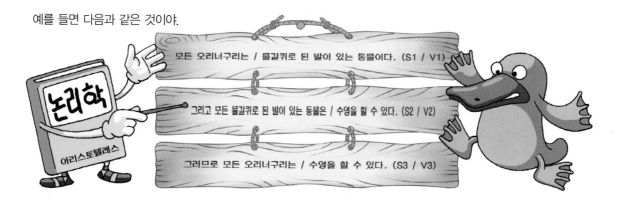

논리학

아리스토텔레스

모든 오리너구리는 / 물갈퀴로 된 발이 있는 동물이다. (S1 / V1)

그리고 모든 물갈퀴로 된 발이 있는 동물은 / 수영을 할 수 있다. (S2 / V2)

그러므로 모든 오리너구리는 / 수영을 할 수 있다. (S3 / V3)

위의 명제들은 모두 주어(S1~S3)와 술어(V1~V3)로 구성되어 있고, 각각의 명제들은 참이거나 거짓이거나 둘 중의 하나야.

있거나.

참

거짓

없거나.

또한 세 번째 명제는 앞의 두 명제들로부터 반드시 추론될 수밖에 없지.

모든 오리너리구는 수영을 할 수 있다.

아리스토텔레스 이래로 논리학자들은 삼단 논법들을 이런 식으로 만들어 내려고 노력했어.

논리학

아리스토텔레스

삼단 논법

그러나 프레게는 위와 같은 아리스토텔레스식의 논리학에 문제점을 제기했어.

옳지 않아.

논리학

아리스토텔레스

먼저 프레게는 주어-술어 관계를 거부했단다.

이유는 주어는 다르지만 똑같은 추론을 적용할 수 있는 경우도 있기 때문이었어.

카이사르는 갈리아를 정복했다. / 갈리아는 카이사르에 의해 정복되었다.

이 두 문장은 주어는 다르지만 똑같은 추론을 적용할 수 있거든.

프레게는 이렇게 '주어-술어' 구조로 명제를 파악하는 것에 한계가 있다고 생각했어.

이걸론 부족해.

그래서 프레게는 기존 논리학이 명제의 구조로 생각했던 '주어-술어' 구조에 수학으로부터 함수와 독립 변수의 개념을 빌려와 대체했어.

$$x + 1 = y$$

함수에서 x를 독립 변수라 하고 y를 종속 변수라 하지.

독립 변수 x의 값에 따라 그에 해당하는 함수 값이 달라지지.

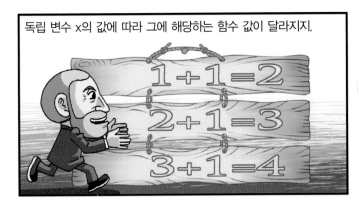

$$1 + 1 = 2$$
$$2 + 1 = 3$$
$$3 + 1 = 4$$

프레게는 이러한 함수와 독립 변수를 이용한 수학적 표현을 일상어의 표현으로까지 확대했단다.

좋아!

언어 $x + 1 = y$

예를 들어 'x의 수도'라는 함수는 독립 변수 x에 영국을 대입하면 그에 해당하는 함수 값은 '영국의 수도' 즉 '런던'이 되고 독립 변수 x가 중국이라면 그에 해당하는 함수 값은 '중국의 수도' 즉 '베이징'이 되는 거야.

수도는…
영국 언어1A 런던
수도는…
중국 언어1A 베이징

그럼 프레게의 방식에 '=' 까지 포함한 함수식을 살펴보자.

아래 식에서의 함수 값은 무엇일까?

앞의 'x+1'의 경우 함수 값은 독립 변수 값에 따라 달라졌었지?

뭐가 맘에 들어?

난 x에 따라 달라져.

하지만 'x+1=3'의 경우 독립변수 '1', '2', '3'을 대입하면 어떻게 될까?

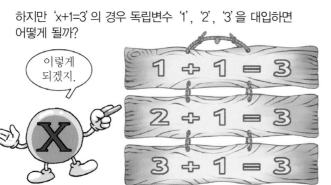

이렇게 되겠지.

이럴 경우 두 번째 식은 자연스럽지만 첫 번째, 세 번째 식의 경우는 말이 안 되잖아?

1, 3은 말이 안 돼.

뿅

프레게는 교묘하게 이 문제를 해결하는데, 그는 'x+1=3'이란 함수식의 함수 값은 독립 변수에 따른 그 식의 참과 거짓이라고 설명했어.

그러니까 독립 변수 '1', '2', '3'에 대한 함수 값은 '거짓', '참', '거짓'이 되는 거지.

일상어에도 '='을 적용시켜 볼까?

X 는 중국의 마지막 황제이다.

위 문장에서 '='은 어디 있을까?

바로 '는'이 '='의 역할을 하는 거야.

'는'을 '='로 바꾸어 쓸 수가 있지.

X = 중국의 마지막 황제이다.

그렇다면 독립 변수에 '카이사르', '나폴레옹', '푸이'를 대입하면
함수 값은 각각 '거짓', '거짓', '참'이 되겠지.

비트겐슈타인은 프레게의 이런 이론을
받아들였어.

받게.

아리스토텔레스의 삼단 논법을 이루는 명제들은
'주어-술어'로 이루어진 단일 문장으로만
이루어져야 하는 제한이 있어.

너의 문제점을
내가 해결해 주지.

아래 문장은 모두 '주어-술어' 구조를 가진 단일 문장이야.

모든 사람은 죽는다. 소크라테스는 사람이다.
그러므로 소크라테스는 죽는다.

그러나 프레게는 복합 문장으로 이루어진 명제들도
논리학의 대상이 될 수 있도록 하였어.

어때?
내가 생각해
낸 거야.

그는 '그리고', '또는', '만약 ~라면'과 같은 연결어로
이루어진 복합 문장도 그 전체 명제의 참과 거짓을
추론할 수 있다고 주장했지

골라 봐~

이러한 명제 이론을
'명제 계산'이라고 한단다.

예를 들면 다음과 같은 거야.

'집사 또는 하녀가
그를 살해했다.'

'그런데 하녀는
그를 살해하지 않았다.'

'그러므로 집사가
그를 살해했다.'
위의 논증은 타당해.

왜냐하면 이 논증은 'p이거나(또는) q이고, 만약 q가 아니면, p이다.'의 형식을 취하고 있는데 이 형식은 논리적으로 항상 타당하기 때문이야.

또는

만약 ~이면

여기서 중요한 점은 기존의 삼단 논법이 '주어-술어' 구조를 통하여 타당한 논리 형식을 발견해 냈다면

삼단 논법

주어

술어

프레게는 '그리고', '또는', '만약 ~이면' 등의 연결어의 배열을 통해 타당한 논리 형식을 발견해 내는 방법을 만들어 냈다는 거야.

또는

만약~이면

기호법

자, 한번 삼단 논법과 프레게의 방법을 비교해 볼까?

VS

아리스토텔레스의 삼단 논법

모든 사람은(S1)

죽는다(V1)

사람이다.(V2)

소크라테스는(S2)

모든 사람은 죽는다. (S1 - V1)

소크라테스는 사람이다. (S2 - V2)

소크라테스는(S2)

죽는다(V1)

그러므로 소크라테스는 죽는다.(S2 - V1)

이 삼단 논법이 타당한 것은 '소크라테스는 사람이다.(S2-V2)'와 '모든 사람은 죽는다.(S1-V1)'에서 '사람이다.(V2)'와 ' 모든 사람은(S1)'을 통해서 연결될 수 있기 때문이야. 즉, 'S2-(V2-S1)-V1'의 형식이 되고 자연스럽게 주어 '소크라테스(S2)'의 서술어로 '죽는다.(V1)'가 연결될 수 있는 거지.

그러나 삼단 논법은 이렇게 술어부와 주어부가 서로 연결될 수 있을 때만 타당한 논리 형식이 되는 단점이 있었지?

프레게는 '그리고', '또는', '만약 ~이면' 등의 연결어의 배열을 통해서 이 문제를 해결했어.

그래서 그는 앞의 삼단 논법을 다음과 같이 표현해.

이렇게 바꾸면 '만약 p이면 q이다. 그런데 p이다. 그러므로 q이다.'의 타당한 형식이 되고 삼단 논법의 번잡스러움을 피하면서도 복합 문장에서도 확실히 타당한 논리 형식을 만들어 낼 수 있어.

그러면 '모든 사람은 죽는다.'에서 '모든(all)'과 같은 단어들은 어떻게 명제화시킬 수 있을까?

'모든'과 같은 단어는 양을 나타내기 때문에 새로운 표현을 만들어 내야 했어.

'모든'이나 '약간의'와 같은 양의 뜻을 표현하기 위해 프레게는 '양화사'라는 개념을 개발해 냈어.

철학적 탐구

그래서 '모든 사람은 죽는다.' 와 같은 표현을, 양화사를 이용해 번역하였지.

'어떤 사람들은 죽는다.' 와 같은 문장은 '약간의' 의 양화사를 이용하였어.

이것을 다시 '어떤 사람은 똑똑하다.' 가

'모든 사람이 똑똑하지 않은 것은 아니다.' 와 같은 의미를 가지는 것에 착안해

다음과 같이 번역하였어.

이는 양화사의 두 가지 표현('모든'과 '약간의')을 한 가지로 통일하기 위한 프레게의 작업이었지.

이렇게 하여 프레게는 '만약 ~이면, ~이다.', '아님(부정)', '그리고(and)', '또는(or)'과 같은 명제들을 연결시켜 주는 논리적 연결사들과 '모든', '약간의' 등과 같이 양을 표현하는 양화사들을 사용해서 명제들을 기호화했어.

프레게는 이러한 논리적 연결사들과 양화사들을 이해한다면 논리의 본성을 이해할 수 있고,

그렇게 된다면 언어의 본성을 이해할 수 있으며,

더 나아가 세계의 본성을 이해할 수 있을 것이라고 생각했어.

하지만 앞서 말한 프레게의 방식도 아직 언어의 본성을 명료하게 다 드러내진 못했어.

예를 들어 볼까? '소크라테스'와 '플라톤의 스승'은 프레게의 기호법에선 동일하게 처리돼.

그것은 동일성 기호(=)로 연결되며('소크라테스'='플라톤의 스승') 서로 같은 것이기 때문에 문장에서 치환되어 쓰일 수 있지.

언뜻 보면 소크라테스는 플라톤의 스승이었기 때문에 문제가 없는 것 같아.

당연하지. 둘은 같은 사람이니깐.

하지만 다음과 같은 문장을 생각해 보자.

그러나 이 문장을 프레게 방식대로 치환해 버리면 A와 B의 뜻이 분명 달라져 버려.

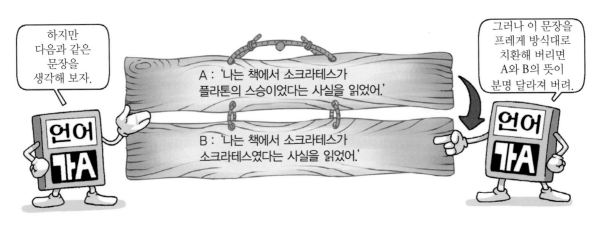

A : '나는 책에서 소크라테스가 플라톤의 스승이었다는 사실을 읽었어.'

B : '나는 책에서 소크라테스가 소크라테스였다는 사실을 읽었어.'

이러한 문제를 지적한 사람이 바로 러셀이었지.

기호법의 문제를 내가 해결해 보죠.

러셀은 새로운 방식으로 이 문제를 깔끔하게 처리했어.

'소크라테스'는 하나의 고유 명사로서 인정되지만, '플라톤의 스승'은 고유 명사가 아니기에 문장의 주어로 올 수 없어.

철학적 탐구

자, 그럼 러셀의 방식을 좀 더 자세히 살펴보기로 하자.

세계에는 어떤 것들이 존재하지?

세계에는 사람들이 존재하고 나무와 돌과 같은 사물들도 존재해.

그러나 황금 산이나 유니콘 혹은 2각형이나 둥근 사각형 같은 것들은 존재할까?

분명 이러한 것들은 우리가 경험할 수 없고 그 존재를 상상하기도 힘들어.

…?

그러나 우리가 다음과 같이 말할 수 있다는 것은 분명해 보여.

2각형은 그릴 수 없어.

러셀에게 이 문제는 매우 중요한 것이었어.

러셀이 보기에 둥근 사각형이나 황금 산이 존재와 관련해 일으키는 문제는 아리스토텔레스로부터 시작된 전통적인 형이상학에서 비롯돼.

전통적인 형이상학에 따르면, 우리가 사용하는 말의 주어–술어 구조에서 주어는 실체이고 술어는 실체의 속성이야. 아래 그림 속 문장처럼 말이지.

'박지성은 축구 선수이다.'

박지성은 (실체)

축구 선수이다. (실체의 속성)

여기서 중요한 점은 실체는 독립적이지만 속성은 실체에 의존해야 해.

실체[독립적]   속성[의존적]

즉, '축구 선수이다.' 란 말은 독립적으로 쓰이지 못하고 반드시 축구 선수인 '누가' 반드시 실체로서 존재해야 해.

난 네가 필요해.

축구 선수이다.

흠!

·실체

박지성이라면 지금 분명히 영국에 존재하기에 문제 될 것은 없지만

2각형이나 황금 산의 경우엔 어떠할까?

이게 존재할 거 같아?

2각형

앞에서의 논리대로라면 2각형이나 황금 산의 경우도 분명 존재해야 할 것 같아.

존재하는 거 아닌가?

2각형

그러나 이것은 상식적으로 우리가 받아들이기는 힘들지.

2각형이 어떻게 존재해? 말도 안 되지.

잉?

2각형

깡

하지만 말이 만들어진다면 지금 우리가 경험하고 있진 못하지만 어딘가 정말 존재하고 있을 수도 있지 않을까?

웃기지도 않아.

2각형

오스트리아의 철학자인 마이농 같은 사람은 실제로 존재한다고 볼 수 없지만, 존재하지 않는다고 볼 수도 없는 이러한 대상들을 존재로 인정할 수밖에 없다고 주장했지.

알렉시우스 마이농
(Alexius Meinong, 1853~1920)
오스트리아의 철학자이자
심리학자이며
대상론(對象論)의 창시자이다.
대상론은 존재·비존재,
가능·불가능에 관계가 없는
순수 대상의 학문을 말한다.

러셀은 처음엔 이러한 생각을 받아들였으나

흠, 그럴 듯 한데.

곧 이러한 생각이 우리의 상식에 맞지 않는 건강하지 않은 사유라고 생각했어.

다시 생각하니 말도 안 되는 소리야!

그래서 러셀은 하나의 재미있고 기발한 한 문장을 통해 이 문제를 해결했단다.

현재 프랑스 왕은 대머리이다.

마이농의 잘못을 밝혀 주겠어.

전통적인 형이상학이 파악하는 주어-술어 구조에 따르면 현재 프랑스 왕은 존재해야 해.

당신 프랑스 왕 맞아?

프랑스 왕

그러나 현재 프랑스는 공화국이기 때문에 왕이 존재하지 않아.

뻥

악-

프랑스 왕

이건 아니야.

공화국

그렇지만 마이농이라면 그것을 존재로 인정해야 한다고 말할 거야.

인정 해야지!

프랑스 왕

하지만 러셀은 '현재 프랑스 왕'이 문법적으로 기능하기에 존재하는 것처럼 보이지만

현재 프랑스 왕은 대머리이다.

뭐가 이상하다는 거지?

이 문장을 논리적으로 분석하면 그것이 일종의 오해라는 것을 알 수 있다고 주장했지

뻥

현재 대머리

아니라고.

자, 그럼 러셀은 어떻게 이 문장을 논리적으로 분석했는지 살펴보자.

현재 프랑스 왕은 대머리이다.

이를 위해서 우리는 명제 함수란 것을 알고 있어야 해.

명제 함수

내가 잘 설명해 줬었지?

명제 함수란 하나의 문장을 변항을 갖는 함수식처럼 변형시킨 것이야.

앞으로 날 잊지 말라고.

명제

$x + 1 = y$

예를 들어 '철수는 남자이다.' 라는 문장은 'x는 남자이다.' 란 명제 함수에 '철수' 라는 구체적인 개체를 나타내는 단어가 대입된 명제가 되지.

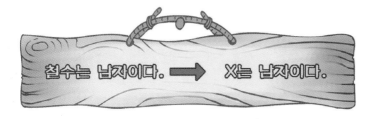

철수는 남자이다. ➡ x는 남자이다.

그리고 러셀은 이 명제 함수를 기호를 사용하여 Mx로 표현한단다.

여기서 M은(Male)의 M이야.

그럼 다음의 문장을 명제 함수로 표현해 보자.

그 노트는 파란색이거나 녹색이다.

일단 노트를 빼고, 변항을 가진 문장으로 표현하면

x는 파란색이거나 녹색이다.

이를 기호를 통해 표현하면 다음과 같아.

Bx v Gx

여기서 v는 '또는'과 같은 선언*에 대한 기호야.

disjunction

이런 식으로 많은 우리의 일상어를 명제 함수식으로 기호화할 수 있어.

*선언(選言) – 여러 개의 명제를 접속사 '또한' 이나 그와 동의어로 연결한 합성 명제. 논리합이라고도 한다.

그런데 다음과 같은 문장은 어떨까?

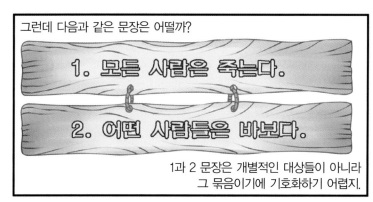

1. 모든 사람은 죽는다.

2. 어떤 사람들은 바보다.

1과 2 문장은 개별적인 대상들이 아니라 그 묶음이기에 기호화하기 어렵지.

하지만 우리는 이미 프레게가 양화사로 이 문제를 해결했다는 것을 알고 있어.

1. 모든 사람은 죽는다.
(All humans are mortal.)

러셀은 프레게의 양화 기호를 도입했어.

명제 함수

위 문장을 명제 함수화하면 이렇게 바꿀 수 있겠지.

명제 함수

모든 x에 대하여, 그것이 인간이면, 그것은 죽는다.
(For all x, if x is human, then, x is mortal.)

이것을 양화 기호를 사용해 기호화하면…

$(x)(Hx \rightarrow Mx)$로 표현돼.

ALL

(x)(Hx → Mx)

양화사

2번 문장의 경우

2.
어떤 사람들은 바보다.

모든 사람이 바보는 아니지만 바보인 사람이 한 사람도 없는 것도 아니기에 '최소한 하나 이상 있다.'로 표현될 수 있어.

바보가 최소한 하나 이상 있다.

위 문장을 명제 함수로 표기해 보자.

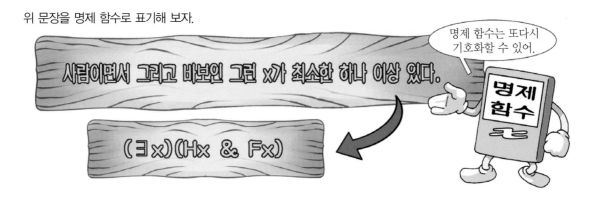

사람이면서 그리고 바보인 그런 x가 최소한 하나 이상 있다.

$(\exists x)(Hx \,\&\, Fx)$

명제 함수는 또다시 기호화할 수 있어.

명제 함수

이제 '현재 프랑스 왕은 대머리이다.'로 돌아와 생각해 보자.

현재 프랑스 왕은 대머리이다.

한눈 팔지 말고 잘 들어~

우선 러셀은 이 문장은 세 개의 명제로 구성되어 있다고 주장했어.

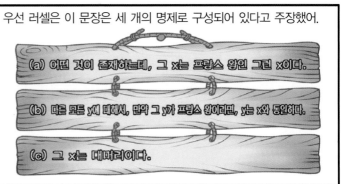

(a) 어떤 것이 존재하는데, 그 x는 프랑스 왕인 그런 x이다.

(b) 다른 모든 y에 대해서, 만약 그 y가 프랑스 왕이라면, y는 x와 동일하다.

(c) 그 x는 대머리이다.

그리고 그 세 개의 명제를 기호화했지.

∃x

(a) $(\exists x)$ Kx (K는 King) (b) $(y)(Ky \rightarrow y=x)$ (c) Bx

a, b, c를 기호화하면 다음과 같아.

명제 함수

그리고 이 세 개의 문장들을 연언* 접속사인 &로 연결하면 (∃x)(Kx & (y)(Ky → y =x)) & Bx라는 식으로 표현될 수 있어.

우선 러셀이 '현재 프랑스 왕은 대머리이다.' 란 문장을 세 개의 명제로 나눈 것은 (a)와 (b) 문장을 통해서 딱 한 명인 존재 x를 규정하기 위해서야.

*연언(連言) – 여러 개의 명제를 접속사 '그리고' 나 그 동의어로 연결한 합성 명제. 논리곱이라고도 한다.

그렇게 딱 하나뿐인 현재 프랑스 왕인 x를 '대머리' 라는 속성과 연언으로 접속시킨 식이 바로 (c)가 된단다.

이러한 복잡한 단계의 분석을 통해서 러셀이 하고자 했던 것은 '현재 프랑스 왕' 을 주어의 자리에서 술어의 자리로 옮기려는 것이었어.

위의 명제 함수에서 보듯이, 주어는 x로 교체되고 본래의 문장인 '현재 프랑스 왕은 대머리이다.' 에서 주어의 위치에 있던 '현재 프랑스 왕' 은 술어 자리에 위치해 x의 기술구(descriptions)가 되어 버리지.

자, 그러면 결론은 이거야.

현재 프랑스 왕인 그러한 x는 존재하지 않으므로, 현재 프랑스 왕이면서 대머리인 x 역시 없다는 것이지.

'현재 프랑스 왕은 대머리이다.' 라는 문장은 거짓이 되는 거지.

현재 프랑스 왕이 없다는 것은 자명한데 이렇게까지 하면서 따져 봐야 하다니 러셀이 쓸데없는 짓을 한 건 아닐까? 괜히 우리들 머리만 아프게 하고 말이야.

아저씨 때문에 머리가 아파요.

하지만 러셀은 자신의 이러한 이론을 굉장한 업적이라고 생각했고,

봤지? 내가 한 일이야.

그의 제자였던 비트겐슈타인 역시 러셀의 이러한 방법에 감탄했지.

정말 대단해요!

러셀의 이 사소해 보이는 분석은 문법적으로 주어의 자리에 위치하고 있지만, 그것을 술어적 표현으로 해체할 수 있다는 것을 보여 줬어.

주어였던 프랑스 왕을 술어부로 보내 버렸지.

딱 하나뿐인 x가

현재 프랑스 왕이면서 그리고 동시에 대머리이다.

예를 들면 '황금 산'이나 '2각형' 같은 것들도 그것을 주어로 이해하지 말고

황금 산 주어

일종의 기술구로 이해하면, 그것들의 존재 여부를 신경 쓰지 않고도 의미 있게 그것들에 관하여 말할 수 있지.

황금 산 툭!

기술구(술어부)

이러한 방법을 사용하면 우리가 실제로 확인할 수 없거나 느낄 수 없는 추상적 대상에 대해서도 의미 있게 말할 수 있어.

술어 황금 산 2각형

그렇다면 이제 앞으로 철학자들이 '황금 산이 존재한다.', '존재하지 않는다.'를 두고 서로 쓸데없는 싸움을 벌일 일은 없어질 거야.

싸우지 마세요.

술어

러셀은 이렇게 우리의 언어를 좀 더 명확하게 분석하여 그 뜻을 명료화하면

우리가 좀 더 명료한 사고를 할 수 있으며, 더 나아가 세계를 더 정확하게 이해할 수 있다는 것을 앞에서 살펴본 재미있는 문장의 분석을 통해 직접 보여 줬어.

그리고 러셀의 이러한 언어 분석적 방법과 철학관은 그의 제자인 비트겐슈타인에게 그대로 이어졌지.

비트겐슈타인은 플라톤이나 아리스토텔레스, 데카르트나 스피노자와 같은 철학자들의 책을 단 한 줄도 읽지 않은 유일한 철학자란다.

이 책들은 뭐지?

오히려 그는 그 사실을 자랑으로 여겼어.

상관없어. 읽을 필요도 없지.

비트겐슈타인이 자신의 사상을 성숙시킨 토양은 프레게와 러셀이 거의 전부라고 볼 수 있어.

자, 그럼 지금까지 비트겐슈타인의 철학이 자란 토양을 살펴보았으니,

이제 본격적으로 비트겐슈타인의 생각 속으로 들어가 보도록 하자.

나의 생각 속으로 온 걸 환영한다.

제4장

말할 수 없는 것에 대해서는 침묵하라!

비트겐슈타인의 《철학적 탐구》는 앞에서 살펴보았듯이 그의 전기 철학의 대표작인 《논리철학논고》와 전혀 다른 방향에서 논의를 전개했어.

하지만 《논리철학논고》의 내용을 알고 있지 못하면 《철학적 탐구》에서 비트겐슈타인이 말하는 바를 제대로 이해할 순 없단다.

저 친구부터 만나 보라고.

그래서 《철학적 탐구》를 읽기 위해선 그의 전기 철학에 대한 이해가 반드시 필요해.

당연히 나부터 알아야지.

《논리철학논고》는 비트겐슈타인이 20대의 나이에 전쟁의 포화 속에서

틈틈이 생각했던 것들을 압축하여 정리한 책이야.

시끄러워 집중이 안 되네.

비트겐슈타인은 《논리철학논고》에 대한 강한 믿음과 확신을 가지고 있었어.

그렇다면 이 100페이지도 안 되는 짧은 책에 어떠한 내용이 들어 있기에 이토록 자신만만했을까?

이 책의 서문에서 비트겐슈타인은 다음과 같이 말했어.

내가 믿기에는, 그 문제들이 우리 언어의 논리를 오해한 데서 생긴다는 점이다.

이 책의 전체적 의미는 다음과 같은 말로 요약될 수 있다.

말할 수 있는 것은 명료하게 말할 수 있고, 말할 수 없는 것에 대해서는 침묵해야 한다.

우선 비트겐슈타인의 문제의식은, 철학이란 곧 언어 비판이라는 것을 알 수 있어.

고대 그리스의 플라톤에서부터 지금까지 서양 철학에서 제기된 철학의 문제들이

언어의 논리를 오해했기 때문에 생겨났다는 거지.

그러니까 지금까지 서양 철학자들은 언어의 논리를 오해한 상황에서

계속 의미 없는 철학적 명제들을 만들어 내 왔다고 그는 생각했어.

그렇다면 철학의 이러한 문제들에 대해 비트겐슈타인은 어떤 처방전을 내렸을까?

의지

그것은 우선 철학의 문제들이 생겨난 것이 철학자들이 언어의 논리를 벗어난 곳에서 언어를 사용했기 때문이니까

이곳을 벗어나면 안 돼.

언어가A

언어 논리

당연히 언어의 논리를 올바르게 이해하여 언어의 한계선을 명확히 그어 주는 것일 거야.

언어가A

그렇게 언어의 한계선을 명확히 그어 주면

언어가A

절대 이 선을 넘어와선 안 돼!

지금까지 철학자들이 골머리를 썩여 가며 논쟁해 왔던 것들이 언어의 논리 바깥에 위치한다는 것을 깨닫게 되겠지.

언어 논리

의지

존재

언어가A

의미 없는 곳에서 뭐 하세요?

그런 것들은 언어의 논리 바깥에 있기에 말할 수 없는 것임이 입증되었으니,

안으로 오시죠.

존재

이제 더 이상 그러한 문제들에 대하여 이러저러하게 말할 필요가 없어지게 되는 거지.

조~용

말해질 수 있는 것

언어가A

그러면 지금까지의 철학적 문제들이 모두 사라져 버릴 거야.

깨~끗

언어가A

또한 새로운 철학적 문제들이 발생하는 것도 방지할 수 있겠지.

감시

철학 감시단

논리 철학논고

비트겐슈타인이 '말할 수 있는 것은 명료하게 말할 수 있고, 말할 수 없는 것에 대해서는 침묵해야 한다.'고 했던 말의 의미는 바로 이와 같은 거야.

말할 수 있는 것

감시

말할 수 없는 것

논리 철학논고

그렇다면 비트겐슈타인이 생각하는 철학이란 우리가 보통 생각하는 철학과 상당히 다른 것 같지 않니?

넌 우리와 너무 달라!

내가 뭘?

대화편 오르가논 방법서설 논리 철학논고

언어의 한계선을 그어 주는 일이란 게 과연 철학일 수 있을까?

철학이 뭐 이래? 선이나 긋고.

논리 철학논고

철학이라고 하면 진리의 세계를 탐구하고

철학 진리

진리의 세계

'세계는 ~하다.' '선이란 ~이다.', '존재란 ~이다.' 처럼 멋있게 전체적인 주장을 해 주고

철학

세계는 말이지…

그 근거들을 마련하여 하나의 이론이나 주의(ism)를 제시해야 하는 것 아닌가?

철학

가치 학설 주관주의

설 자연주의 마르크스주의 성악설

그래서 비트겐슈타인은 철학을 하나의 활동이라고 주장해.

뛰어!

철학

지금까지 철학자들은 철학을 하나의 이론, 체계, 주의(ism)로 만들려 했기 때문에

철학이라면 당연히…

ism

언어의 논리를 벗어난 지점을 언어로 표현하는 오류를 범해 왔다는 거야.

그 일은 의미 없는 일입니다.

언어 가A

그가 말하는 새로운 철학은 말할 수 있는 것과 말할 수 없는 것을 구분 지음으로써,

죽음 존재 의지

말할 수 있는 것

언어 가A

생성 희

삶

저 여

사고할 수 있는 것과 사고할 수 없는 것의 한계를 명확히 설정해 주는 하나의 활동이지.

넘어오지 말아요.

그래서 비트겐슈타인에게는 '진리란 무엇인가?', '신이란 무엇인가?' 란 질문에 답을 구하는 일은 무의미한 일이었지.

비트겐슈타인은 그러한 물음에 답을 마련해 온 지금까지의 철학에 대해서 그 답이 틀렸다고 말하는 것이 아니라

그러한 질문에 답을 구하려는 시도 자체가 적절하지 못하다고 했어.

철학은 이렇게 이론이나 주의 또는 체계를 만들어 내는 것이 아니라

그렇게 이론이나 주의 또는 체계들을 만들어 냄으로써

빠지게 되는 언어적 혼란, 오류를 고치고 치료하는 하나의 활동이라는 것이지.

이러한 새로운 생각은 비트겐슈타인만의 독특한 철학관이라고 할 수 있지.

그래도 여전히 의문은 남아.

'진리란 무엇인가?' '선이란 무엇인가?' 와 같은 종래의 철학적 주제들은 비트겐슈타인의 말대로라면 언어의 한계 밖에 위치한 주제들이기에 침묵해야 해.

그러나 우리의 삶에서 그러한 질문들은 여전히
의미가 있고 중요한 주제들임은 부정할 순 없어.

그렇다면 비트겐슈타인은 이러한 주제들의 중요성마저
부정하는
것일까?

결론부터 말하자면 비트겐슈타인은 '진리'라든가
'윤리' 혹은 '신'과 같은 주제들을 부정하지 않았어.

오히려 그러한 주제들을 굉장히
중요한 것으로
생각했지.

그러면 어떻게
하란 말이야?

분명 비트겐슈타인은 그러한 주제들에 관하여
말할 수 없는 것이니 침묵하라고 했잖아?

비트겐슈타인의 답은 이런 거야.

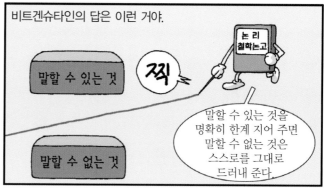

말할 수 없는 것이 스스로를
그대로 드러낸다는 것은 무슨
말일까?

이것의 의미를 좀 더 쉽게 이해할 수
있는 한 가지 사례가 있단다.

그것은 비트겐슈타인과 그의 절친한
친구였던 엥겔만이란 사람의 일화에서
드러나.

어느 날 엥겔만은 비트겐슈타인에게 울란트*가 쓴 '에버하르트 백작의 산사나무'란 제목의 시를 보내 주었어.

산사나무: 쌍떡잎식물로 장미과에 속한다. 아가위나무라고도 한다.

*요한 루트비히 울란트(Johann Ludwig Uhland) – 독일의 서정 시인.

그 시는 십자군 원정을 나간 병사가 산사나무 덤불에서 가지 하나를 꺾어다가

똑!

집에 돌아온 뒤 자기 집 정원에 심었다는 이야기를 담고 있었어.

그 병사는 늙어서 자신의 젊은 시절을 연상하게 해 주는 크게 자란 산사나무의 그늘에 앉아 있지.

비트겐슈타인이 이 시에 크게 감명받은 이유는 무엇일까?

오~

그것은 이 시가 아주 단순하게 아무런 수식도 없이 도덕에 대해서 다루고 있었기 때문이야.

꾹!

즉 도덕이 무엇이라고 딱히 꼬집어 말하지 않으면서도, 전쟁터에서 가져온 산사나무 가지를 자기 정원에 심는 어느 병사의 행위를 보여 주면서 '이런 것이 도덕적 행위'라고 드러내는 시였던 거야.

저런 게 도덕인 거지.

그는 이 시에 대해서 다음과 같이 말했어.

거의 모든 다른 시들은 표현 불가능한 것을 표현하려고 애쓴다. 여기서는 그런 노력이 시도되지 않고 있고, 바로 그 때문에 그 과업을 달성하고 있다.

Graf Eberhard Weisdorn

Graf Eberhard im Bart
Vom Wurttemberger Land,
Er kam auf frommer Fahrt
Zu Palastina's Strand.

Daselbst er einstimals ritt
Durch einen frischen Wald;
Ein gruenes Reis er schnitt
Von einem Weissdorn bald.

Er steckt es mit Bedacht
Auf seinen Eisenhut;
Er trug es in der Schlacht
und uber Meeres Flut.

Und als er war daheim,
Er's in die Erde steckt,
Wo bald manch neuen Keim
Der neue Fruehling weckt.

Der Graf, getreu und gut,
Besucht es jedes Jahr,
Erfreute dran den Mut,
Wie es gewachsen war.

Der Herr war alt und lass,
das Reislein war ein Baum,
Darunter oftmals sass
Der Greis im tiefsten Traum.

Die Wolbung, hoch und breit,
Mit sanftem Rauschen mahnt
Ihn an die alte Zeit
Und an das ferne Land!

비트겐슈타인이 말한 표현 불가능한 것은 '도덕'이 될 것이고

표현 불가능한 것 = 도덕

이 시가 위대한 것은 '도덕'에 관하여 직접 표현하려고 시도하지 않으면서도 진정한 '도덕'의 모습을 독자들에게 보여 주고 있다는 거지.

아하!

예를 들어서 여러분도 친구에게 '도덕이란 ~한 거야.', '아름다움이란 ~한 거야.'라고

도덕이란 말이지…

도덕?

폼을 잡으며 말해선 안 된다는 거지.

폼 잡지 마!

으.

그런 것들을 굳이 표현하려 하지 말고

그저 묵묵히 남을 배려해 주고 정직하게 행동하면 도덕이란 무엇인지가 드러날 수 있다는 거야.

마찬가지로 아름다움이란 무엇이라고 규정하려 하지 말고

그림을 그리거나 음악을 연주하면서 아름다움이 스스로 드러나 보일 수 있도록 해야 한다는 거지.

이렇게 말할 수 없는 것은 말로 표현하지 않음으로 해서 오히려 그 본래의 모습을 드러낼 수 있다는 비트겐슈타인의 생각은 다분히 신비주의적인 면이 있어.

음음음….

뭐라는 거야?

실제로 비트겐슈타인은 그렇게 말로 담을 수 없는 것들을 '신비적인 것'이라고 말하기도 했단다.

아 답답해. 신비적이다, 이겁니다.

비트겐슈타인의 《논리철학논고》의 중요한 한 축을 이루고 있는 이러한 신비주의는 많은 사람들을 당황하게 했어.

논리를 말하다가 신비함이라니!

그가 철학을 시작했던 논리학은 신비주의와는 전혀 반대의 축에 놓인 학문이라고 볼 수 있거든.

논리학은 명석한 판단을 하는 논리의 법칙을 연구하는 학문이고

신비주의는 우리의 언어 논리로 설명할 수 없는 것들을 탐구하는 학문이니까 말이야.

신비(mystic)라는 말은 눈이나 입을 닫는다는 뜻의 그리스어 mystikos에서 유래된 거야.

신비주의

이러한 《논리철학논고》의 성격은 이 책을 철학사에서 가장 독특하면서도 난해하며 논쟁의 여지가 많은 책으로 만들어 놓았어.

너 도대체 정체가 뭐야?

논리학

신비주의

논리 철학논고

이 책의 원고를 제일 처음 본 사람은 바로 프레게였어.

안녕 하세요.

하지만 프레게에게 《논리철학논고》의 구절들은 너무 시적(詩的)이었어.

뭐야 이건?

이러한 《논리철학논고》를 이해하기에 프레게는 철저하게 수학자이자 논리학자였지.

잠언이나 경구는 딱 질색이야.

이 시기 비트겐슈타인은 포로 수용소에 갇혀 있었어.

프레게는 비트겐슈타인에게 답장을 썼지.

프레게의 답장은 온통 '이 단어의 뜻은 무엇인가?', '저 구절이 무슨 말인지 이해가 잘 안 가네…'와 같은 질문으로 꽉 채워져 있었어.

보낸 이-프레게

자네의 글이 무엇을 말하는지 이해가 안 가네.

비트겐슈타인은 프레게의 질문들에 최선을 다해서 답변을 달아 다시 답장을 보내 주었지만

보낸 이 -비트겐슈타인

다시 돌아온 프레게의 답장을 보고 비트겐슈타인은 프레게가 자신의 책을 전혀 이해하지 못하고 있음을 알게 되었지.

뭐가 어렵다고 이해가 안 간다는 거야!

보낸 이-프레게

왜 화를 내?

프레게에게 실망한 비트겐슈타인은 원고를 러셀에게 보냈어.

안녕하세요. 러셀 선생님.

그래. 어디 볼까?

러셀은 프레게보단 《논리철학논고》의 내용을 잘 이해하는 듯했으나

음, 좋은데.

핵심 주장 중 하나인 '말할 수 없는 것엔 침묵해라.'는 것엔 동의하지 않았어.

말할 수 있는 것은 명료하게 말할 수 있고, 말할 수 없는 것에 대해서는 침묵해야 한다.

비트겐슈타인과는 달리 러셀은 그것이 만약 존재한다면 당연히 그것은 생각될 수 있으며

침묵하라니 말도 안 돼.

말로 표현될 수도 있다고 생각했거든.

존재
진리
생성

왜 말을 못 해? 하면 되지.

러셀은 논리학과 좀 더 명료한 철학의 방법에서 자신의
제자인 비트겐슈타인이 가져다 줄 많은 발전들을 기대하고
있었어.

자꾸 왜 이래~

말할 수 있는
것은 명료하게
말할 수 있고,
말할 수 없는 것에
대해서는
침묵해야 한다.

그러니 비트겐슈타인의 신비주의적 언급이 불편할
수밖에 없었을 거야.

신비주의라니
정말 실망이야.

신비주의적 색채를 전혀 이해하지 못한 사람들이 또 있었는데,
그들은 논리 실증주의자*들로 이들의 주요 관심사는 과학과
형이상학을 명확하게 구분하고

우린 과학적이고
수학적인 것이 좋아.

모든 의미 있는 문장을 과학의 언어로
번역하여 하나의 통일 과학을
수립하고자 하는 거였어.

과학적일 수 있는지
살펴볼까?

*논리 실증주의자 – 1920년대 오스트리아의 빈 대학에서 활동하던 과학자, 철학자들이
정기적으로 함께 연구하는 모임으로 빈 학파라고 불리기도 한다.

논리 실증주의자들은 형이상학이나 윤리학, 특히 종교의 명제들은
경험적으로 검증될 수 없는 것들이므로 학문의 언어로 적합하지
않다고 생각했고,

너희들, 아무래도
안 되겠어.

학문의 세계에서 추방시켜야 한다고 과격하게
주장하기도 했어.

학문의 세계

꺼져-

이러한 논리 실증주의자들의 생각은 일면 비트겐슈타인의
《논리철학논고》와 유사한 점이 있는 것도 사실이야.

나도 널 좋아해.

논리
철학논고

과학

아하!

비트겐슈타인 역시 말할 수 있는 것으로 자연 과학과
논리학 그리고 수학을 들었고

말할 수 있는 것

자연
과학

논리학

수학

그 외의 형이상학적 철학 언어들은 모두 무의미하다고 주장했으니까 말이야.

조용히 해!

그래서 논리 실증주의자들은 《논리철학논고》가 자신들의 의견을 지지한다고 생각했어.

좋아!

마음에 들어.

하지만 그들은 역시 《논리철학논고》의 신비주의적 측면을 전혀 이해할 수 없었고

결국엔 비트겐슈타인을 빈에 초빙해서 《논리철학논고》에 대해 그들의 의문점들을 질문하기도 했지.

아니, 이건 뭔가요?

아하~ 이 대목!

그러나 논리 실증주의자들과 비트겐슈타인 간의 입장 차이는 분명했어.

난 종교나 윤리를 부정한 것이 아니야.

그럼?

빈 학파의 리더였던 카르나프의 다음과 같은 회상은 그러한 차이점을 잘 보여 주고 있어.

한번은 비트겐슈타인이 종교에 대해 말하면서, 그와 슐리크*의 입장 차이가 확연하게 드러나게 되었다.

VS

*모리츠 슐리크(Moritz Schlick) - 빈 학파 창립자의 하나로 논리 실증주의를 주장한 독일의 철학자.

두 사람 모두 종교의 이론**들은 여러 형태를 놓고 볼 때 이론적 내용을 갖지 않는다는 데 동의했지.

종교엔 이론이 없죠.

동의하네.

그러나 비트겐슈타인은 종교는 인간의 유아적 시기에 속하며 문화적 발전의 과정에서 서서히 사라질 것이라는 슐리크의 견해를 부정했어.

그러니 사라져 버려.

하지만 이건 아니지!

**이론(理論, theory) - 사물에 관한 지식을 논리적인 연관에 의하여 하나의 체계로 이루어 놓은 것.

사실 이러한 비트겐슈타인과 논리 실증주의자들의 차이점은 철학에 대한 입장에서부터 기원한다고 볼 수 있어.

비트겐슈타인은 당연히 진정으로 의미 있는 명제들은 과학적 명제들이라고 말했지만

그가 과학을 절대적으로 생각하고 그 외의 형이상학이라든가 종교적 문제들이 전혀 의미가 없다고 말한 건 아니었어.

그는 오히려 과학보다 우리의 삶에서 윤리라든가 종교적 문제들이 더 중요하다고 생각했지.

단지 비트겐슈타인은 지금까지의 철학이 그러한 문제들을 말로 표현하려고 시도했던 것이 잘못이었다고 주장한 거야.

뭐야, 넌?

철학이 해야 할 일은 그러한 것들을 표현하고 정의하려고 시도하는 것이 아니라

윽!

빵

네가 있을 곳은 이곳이 아니야.

언어의 한계를 설정해 주어 말할 수 있는 것만 말하게
하고 말할 수 없는 것은 침묵하게 하는 것이야.

할 말은
그곳에서 해!

즉 언어로 표현할 수 있는 세계의 금을 그어 주는
것이 바로 철학의 임무라는 거지.

넘어오면
혼날 줄 알아.

그러한 의미에서
내 철학을
언어 비판이라고들
하더군.

그러나 논리 실증주의자들은 그 반대로 과학적 언어만 남기고
그 외의 모든 언어는 폐기시킴으로써

이딴 건
필요 없어!

윤리라든가 종교와 같은 철학적
문제들을 모두 폐기시키려 했던
거야.

그들은 과학만을 남기고 다른 모든
인간의 정신적 영역들을 없애 버리려
했던 거지.

그래서 그들은 철학 자체를
부정했으며

꺼져-

모든 학문의 과학화를 꿈꿨지.

비트겐슈타인은 《논리철학논고》에서 논리학과 언어에 관한 연구를
주로 했어.

그는 언어의 논리적 구조를 명확하게 밝혀내면 언어와 비언어 사이에 경계선을 정확하게 짚어 낼 수 있다고 믿었고, 그러면 철학이라는 지식의 영역과 윤리라는 실존적인 삶의 영역을 구분할 수 있다고 생각했지.

그리고 이런 일을 하는 것이 철학자의 의무라고 생각했던 거야.

이러한 비트겐슈타인 철학의 특성은 우리에게 철학자 칸트*를 떠올리게 해.

칸트는 이성, 지식, 경험의 가능성과 함께 그 한계를 설정하려 했던 철학자였어.

똑바로 서!

*임마누엘 칸트(Immanuel Kant) – 비판 철학을 확립한 독일의 철학자.

또한 그렇게 이성과 지식 그리고 경험의 한계를 설정하면서 동시에 신앙의 영역을 따로 설정하여 안전을 꾀하려고도 했지.

너희들은 이 선을 넘어와선 안 돼.

칸트가 살았던 18세기는 신앙이 과학적 이성에 의해 위협받던 시기였거든.

꼼짝 마!

뭐서워 힝~

칸트는 우리가 눈을 통해 보고 만지고 듣는 현상계와 물질계에 관한 지식은 과학이 탐구해야 할 영역이며

그러한 물질계를 넘어선 세계와 신에 관한 믿음과 같은 신앙의 세계는 형이상학과 종교의 영역이라고 말했어.

그리고 형이상학과 종교가 현상계와 물질계에 대한 앎을 줄 수 없듯이, 마찬가지로 과학이 윤리적 문제라든가 예술에 관한 문제 혹은 신에 관한 지식에 답변을 줄 수 없다고 생각했어.

이것은 비트겐슈타인이 말할 수 있는 것과 말할 수 없는 것을 구분했던 동기와 목적 그리고 그에 대한 대답과 비슷하다고 볼 수 있어.

칸트는 우리의 이성의 권한과 한계에 대하여 그 근거를 제시하고 밝히려고 했어.

그것은 곧 우리는 어떻게 세계를 알 수 있는가에 대한 해명일 거야.

칸트에 의하면 그것은 인간이 이미 자신 안에 세상을 인지하는 틀을 가지고 있다는 거야.

그 틀 속에 감각된 것들이 맞추어져서 인간은 외부 세계를 비로소 인식할 수 있다는 거지.

칸트가 말하는 그러한 틀 중엔 시간도 있어.

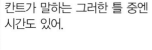

만약에 인간에게 시간이라는 인식 틀이 없다면 어떻게 될까?

올림픽에서 100미터를 달리기를 한다고 생각해 봐.

시간 개념이 없기에 속도도 느끼지 못할 것이고, 결국 100미터 육상 경기에서 어떤 일이 벌어지고 있는지 파악하지도 못할 거야.

비트겐슈타인 역시 우리의 언어가 세계를 서술할 수 있는 근거, 즉 언어가 가능할 수 있는 근거를 해명하고 밝히려고 했지.

칸트에게 그것이 인간이 선천적으로 지니고 있는 인식 틀이라면

비트겐슈타인에게 언어의 가능 근거는 바로 논리적 형식이야.

언어는 어떻게 세계를 담아낼 수 있을까?

그것은 바로 언어와 세계가 서로 공통적인 형식을 가지고 있기 때문이고 그 형식이 바로 논리적 형식이란 거야.

그러면 언어가 세계를 그린다는 그림 이론은 언어가 세계의 논리적 형식을 따라 그린다는 것이 되겠지.

칸트는 신앙의 영역을 마련하기 위해 과학적 지식을 제한했어.

과학이 신앙의 영역에 침범하지 못하도록 경계선을 확실히 그었다고 할 수 있지.

칸트는 과학이 할 수 있는 것 안에선 과학에 절대적인 신뢰를 보내야 하지만

과학이 할 수 없는 것도 있다고 생각했는데, 그것이 신앙이며 윤리, 도덕, 그리고 예술에서 다루는 미적 영역이라고 생각했어.

칸트는 과학적 이성과 지식의 한계선을 그어 줌으로써 그러한 영역들을 과학의 거센 공격으로부터 지켜냈어.

비트겐슈타인은 과학과 논리학의 영역은 말할 수 있는 것으로, 윤리학이나 신앙 예술의 영역은 말할 수 없는 것으로 나누었단다.

윤리적인 행위가 있다는 것, 예술의 아름다움이 있다는 것, 신이 갖는 인간에 대한 존재 의미 같은 것들은 말할 수 있는 언어의 영역을 초월해서 존재하는 것들이고

이것들은 그저 침묵을 통하여 보여 줄 수 있다고 주장했어.

칸트가 신앙을 과학으로부터 보호했듯이 비트겐슈타인은 신앙을 언어로부터 보호했다고 말할 수 있겠지.

자, 이렇게 보면 칸트와 비트겐슈타인은 정말 비슷한 점들이 많지?

물론 두 사람의 사상은 시대적 차이도 있고 그 구체적인 내용에서 커다란 차이점들이 있긴 하지만 말이야.

임마누엘 칸트
[1724.4.22.~1804.2.12.]

순수 이성비판*

비트겐슈타인
[1889.4.26.~1951.4.29.]

논리 철학논고

*《순수이성 비판》 – 1781년 간행된 칸트 비판 철학의 첫 번째 저서.

지금까지 우리는 비트겐슈타인이 《논리철학논고》의 서문에서 말했던 핵심 주장, 즉 말할 수 있는 것은 명확하게 말하고, 말할 수 없는 것들에 대해선 침묵해야 한다는 것의 의미를 살펴보았어.

말할 수 있는 것 / 과학 / 수학 / 논리철학논고 / 비트겐슈타인 / 말할 수 없는 것 / 윤리 / 종교

어때?

여기까지 와 보니 내 말이 그리 간단한 것은 아니었지?

지금까지 잘 이해가 가지 않더라도 너무 걱정하진 마.

논리철학논고

점점 이 책을 읽어 나가면서 조금씩 이해할 수 있을 테니 말이야.

촤 라 락 —

'말할 수 없는 것에 대해선 침묵해라~!' 너희들도 비트겐슈타인의 이 말을 곰곰이 생각해 봤으면 좋겠어.

말할 수 있는 것 / 수학 / 과학 / 말할 수 없는 것 / 진리 / 삶 / 종교 / 윤리

사실 좋은 글, 좋은 말을 하기 위해 특별한 기술이 있어야 하는 건 아니야.
자신이 명확히 잘 알고 있는 것을 분명하게 표현하는 것. 그것이 가장 빼어난 말과 글이란다.
그리고 빼어난 말과 글은 누구에게나 쉽게 이해될 수 있어.
그러니 여러 가지 미사여구와 관념적인 단어들로 잔뜩 치장한 말이나 글을 사용하는 친구를
보게 되면 비트겐슈타인의 가르침대로 따끔한 맛을 보여 주는 게 어때?
"말할 수 없는 것에 대해서는 침묵해!"라고 말이야.

제5장

언어는 세계를 그림 그린다

앞에서 우리는 비트겐슈타인이 《논리철학논고》에서 제기한 핵심적인 주장을 살펴보았어.

비트겐슈타인의 이러한 주장은 그의 스승들인 프레게와 러셀의 생각과도 확연히 구분되는 매우 독창적인 생각이었지.

말할 수 없는 것은 침묵해야 합니다.

그딴 신비주의는 갖다 버려!

그렇다면 비트겐슈타인이 그렇게 주장할 수 있었던 근거는 무엇일까?

그럼, 근거를 내놔 봐.

좋아. 내 주장에 대해서 좀 더 세부적으로 설명해 주지.

우리는 언어를 사용하여 세계를 이해하고 다른 사람과 의사소통을 하며 살아가고 있어

점심 먹었어?

먹었지.

넌 먹었니?

너희들은 이러한 언어가 신기하다거나 놀랍다는 생각을 해 본 적이 없니?

전혀 없는데요.

언어가 우리에게 너무 익숙한 것이라서 당연하게 생각할 수 있지만

사람이 말을 못 한다면 그것이 이상한 거죠.

이렇게 언어를 사용하여 세계를 이해하고 서로 그 세계에 대해서 이러쿵저러쿵 이야기할 수 있는 것은 오직 인간밖에 없다는 거지.

이러쿵 저러쿵

물론 동물도 소리나 울음으로 신호를 보내기도 하고, 자신의 감정 상태를 나타내기긴 해.

꿀꿀~   멍멍~   음메~

하지만 인간의 언어 사용과는 비교할 수 없지.

너 말할 수 있어?

깽~

우리는 언어가 있기 때문에 세계를 이해하고, 또한 더 나아가 그렇게 이해한 세계에 대해서 다른 사람과 이야기를 나눌 수 있으니 말이야.

이러쿵 저러쿵

언어가 이럴 수 있는 건 언어와 세계가 서로 어떤 연관을 맺고 있기 때문일 거야.

언어

비트겐슈타인은 바로 이러한 언어에 주목한 철학자였어.

어디 보자~

언어

비트겐슈타인은 언어와 세계가 서로 연관을 맺을 수 있는 것은 언어와 세계가 서로 대응하는 구조를 가지고 있기 때문이라는 생각을 했어.

우리가 언어를 통해 세계를 이해할 수 있는 것은 언어가 하나의 거울처럼 세계를 비추어 주기 때문이라고 생각했지.

거울에 비친 세계의 모습은 세계 그 자체 그대로인 것은 아니야.

일단 거울은 평면 위의 영상이고 세계 그 자체는 삼차원의 공간을 가지고 있으니까.

하지만 거울 속에 비친 세계를 보고 우리는 세계가 어떤 것인지를 이해할 수 있어.

언어는 우리에게 세계의 모습을 담아서 보여 주며

그런 언어를 가지고 세계를 다른 사람에게 알려 주는 것이지.

예를 들어서 여러분이 올림픽 야구 대회를 라디오 중계로 듣고 있다고 해 보자.

이승엽 선수가 친 공이

라디오의 캐스터가 이승엽 선수가 홈런을 치는 것을 보고 말을 하겠지.

우측 담장을 사뿐히 넘어갑니다!

하지만 그 캐스터가 말한 그 문장이 실제 이승엽 선수가 홈런을 친 것과 같은 것은 아니야.

그건 그저 캐스터 입에서 나온 말일 뿐이니까.

이승엽 선수 쳤습니다.

여러분에게 홈런을 친 장면을 실제로 보여 주려면 캐스터가 너희들 앞에 이승엽 선수를 데리고 와서 공을 직접 쳐 달라고 부탁해야 할 거야.

직접 보여 줘요.

하지만 그것은 불가능하지.

말도 안 돼!

뻥

따라서 캐스터는 '이승엽 선수가 친 공이 우측 담장을 사뿐히 넘어갑니다.' 라는 문장을 사용하여 간접적으로 보여 준 거야.

이승엽 선수가 홈런을 친 모습을 직접 보진 못했지만, 머릿속에서 그려 볼 수 있지.

깡

이승엽 선수가 친 공이 우측 담장을 사뿐히 넘어갑니다.

우리는 언어를 이렇게 사용하고 있는 거야.

이승엽 선수가 친 공이 우측 담장을 사뿐히 넘어갑니다.

언어가 A

'이승엽 선수가 친 공이 우측 담장을 사뿐히 넘어갑니다.' 라는 문장은 그 자체로는 결코 사실과 같을 순 없지만,

사실을 왜곡하지 않고 잘 담아 내고 있어.

어떻게 알았어?

이승엽 선수가 친 공이 우측 담장을 사뿐히 넘어갑니다.

언어가 A

라디오를 듣고 알았죠.

우리는 언어가 이렇게 사용되는 예를 많이 찾아볼 수 있어.

어젠 무슨 일이?

신문엔 어제 일어났던 사실들이 모두 문장에 담겨 지면에 실리고,

한국 야구, 미국을 넘었

한국 대표팀이 올림 1차전 미국과의 경기 9회 끝내기 희생플라이 극적인 8 - 7 승리를 거두었다.

우리들은 그 문장을 보고 어제 일어났던 수많은 사실들을 이해하게 되지.

야호~

대한~민국!

여러분이 친구들과 수다를 떨 때도 언어를 통해 자신의 일들을 이야기하고 친구들 또한 언어를 통해서 그 일들을 이해하게 되지.

그러니 언어가 없다면 정말 답답할 거야.

만약 언어가 없다면

박태환 선수가 베이징 올림픽 수영 400미터에서 우승한 소식을 전하려면

박태환 선수를 서울로 긴급히 데려와 수영 400미터 경기의 장면을 똑같이 재현하도록 해야 할 거야.

우리는 그것을 다 본 뒤에야 박태환 선수가 금메달을 땄구나 하고 이해할 수 있겠지.

박태환 선수

이렇게 언어는 세계와 같은 것은 아니지만, 세계를 반영하고 사실들을 담아내는 기능을 하고 있어.

비트겐슈타인은 이처럼 언어의 기능이 가능한 것은 언어의 구조와 세계의 구조가 서로 대응하고 있기 때문이라고 말해.

다시 말해서 이승엽 선수가 홈런을 친 실제 사실의 구조와 '이승엽 선수가 친 공이 우측 담장을 사뿐히 넘어갑니다.' 라는 문장의 구조가 서로 대응하기 때문이라는 거지.

비트겐슈타인의 철학에서 가장 중요한 문제는
'우리의 언어는 세계를 어떻게 반영하는가?' 였어.

우리의 언어가 세계를 어떻게 반영하는지를 알 때, 우리는
세계에 대해서 올바르게 이해하고 세계에 대한 의견을
내놓을 수 있다는 거야.

그런데 지금까지의 철학자들은
그러한 문제는 전혀 생각하지도
않고

'진리는 무엇인가?', '존재란 무엇인가?' 와 같은
거창한 물음들에만 집착하고 있었지.

비트겐슈타인은 그러한
질문들에 앞서 가장 먼저
해야 할 질문은

오히려 '우리가 과연 그러한 질문을 어떻게
던질 수 있는가?' 라는 거라고 주장했어.

그래서 비트겐슈타인은 기존의 철학자들이 던진 질문을 다음과 같이
고쳐서 질문해야 한다고 했어.

여기서 비트겐슈타인은 언어가 세계를 반영한다면,
어떻게 그것이 가능한지를 설명하고 있어.

이때 등장하는 것이 바로 그 유명한 비트겐슈타인의
'그림 이론' 이란다.

《논리철학논고》의 핵심적 이론은 '그림 이론(picture theory)'이라고 할 수 있어.

하지만 비트겐슈타인은 스스로 《논리철학논고》에서 어떠한 이론을 주장했다고 말하지는 않아.

왜냐하면 비트겐슈타인은 분명히 형이상학적인 이론은 무엇이든지 말할 수 없는 것이므로 침묵해야 한다고 말했기 때문이지.

그런데 그가 자신의 책에서 어떠한 이론을 주장한다면, 그는 자신의 주장을 스스로 거역하는 꼴이 되잖아?

비트겐슈타인은 스스로 이 점을 잘 인식하고 있었어. 그래서 그는 '그림 이론'이란 말은 사용하지 않았단다.

'그림 이론'이란 개념은 나중에 비트겐슈타인의 해석자들이 만들어 낸 말이야.

그렇다 하더라도 비트겐슈타인이 철학 책을 쓴 것은 부정할 수 없는 일이야.

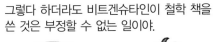

나 철학책 맞아?

당근!

그는 스스로 철학적 언어는 말할 수 없는 것이라고 해 놓고선 한 권의 철학 책을 쓴 것이지.

그래서 비트겐슈타인은 되도록 그러한 철학적 주장을 최소화하려고 했고,

자연히 《논리철학논고》는 매우 절제된 문장들로 이루어진 100페이지 이내의 얇은 책이 되고 말았어.

그러니 이 책을 이해한 사람이라면 이 책에 쓰인 글들이 모두 무의미하다는 것을 깨달아야 해.

그래서 비트겐슈타인은 자신의 책을 사다리에 비유했어.

내 책이야.

아하!

목표로 했던 곳에 사다리를 밟고 올라갔다면,

으쌰~

이제 그 사다리는 쓸모없는 것이기에 버려야 한다는 거지.

툭!

하지만 사다리가 없으면 우린 아무것도 시작할 수 없을 거야.

그러니 아직 시작도 하지 못한 우리가 사다리를 버린다면 바보 같은 짓이겠지?

벌써 버리면 안 되지.

그럼 비트겐슈타인이 우리에게 건네준 '그림 이론'이라는 사다리에 대해서 자세히 알아보도록 하자.

잘 들어 봐~

철학

비트겐슈타인이 '그림 이론'에 대한 영감을 얻게 된 계기는 다음과 같았어.

그림 이론

어느 날, 비트겐슈타인은 흥미로운 신문 기사를 하나 보았어.

음….

그 기사는 프랑스의 한 법정에서 교통사고 장면을 묘사하기 위해서 장난감 자동차와 인형을 사용했다는 내용이었지.

프랑스 법정 장난감 자동차와 인형을 사용!!

프랑스의 어느 법정에서 사용된 장난감 자동차와 인형은 사고 당시의 실제 자동차와 사람들을 모델로 했고,

사고가 일어났을 때의 상황과 정확하게 일치하도록 장난감 자동차와 인형들을 배치했다고 해.

프랑스의 법정에서 장난감 자동차와 인형들이 실제 사고 당시의 자동차와 사람들의 모델이 되어 법정에 모인 사람들에게 당시의 사건을 이해시켜 주었듯이

비트겐슈타인은 우리가 사용하는 언어도 이와 같은 방식으로 실제 세계의 모델과 같은 역할을 한다고 생각했어.

비트겐슈타인은 이와 같은 모델을 '세계에 대한 그림'이라고도 표현했단다.

《논리철학논고》에 있는 한 구절을 살펴볼까?

2.12 그림은 실재의 모델이다.
4.01 명제는 실재의 그림이다.
명제는 우리가 그렇게 생각하듯이 실재의 모델이다.

그러면 언어(명제)는 어떻게 세계에 대한 그림 혹은 모델이 될 수 있는 것일까?

모델이라면 화려한 워킹 아니겠어?

그 모델이 아닌데….

이것을 이해하려면 우선 '세계'와 '사실' 그리고 '대상'이라는 개념을 알아야 해.

그런 후에 다음과 같은 도식을 머릿속에 넣어야 해.

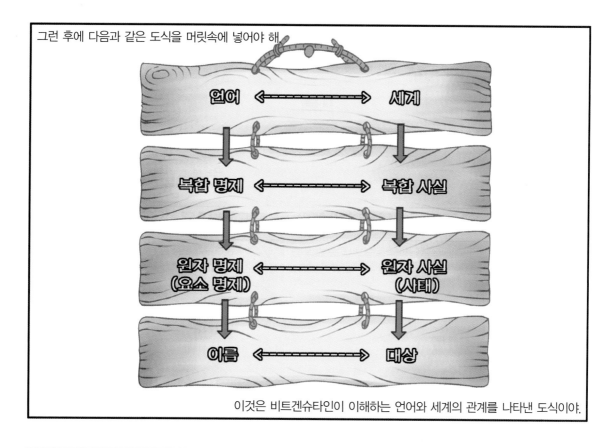

이것은 비트겐슈타인이 이해하는 언어와 세계의 관계를 나타낸 도식이야.

도식을 보면 언어와 세계는 서로 대응하고

또한 언어와 세계는 모두 아주 작은 부분들로 쪼갤 수 있다는 거지.

언어 전체는 무수히 많은 복합 명제들로 이루어져 있어.

복합 명제는 다시 더 이상 쪼갤 수 없는 원자 명제로 분석될 수가 있고 그 원자 명제들은 이름들로 구성이 되어 있지.

세계 또한 세계 – 복합 사실 – 원자 사실 – 대상으로 쪼개질 수 있는 거지.

여기서 비트겐슈타인이 말하는 '사실'에 대해서 좀 더 자세히 설명해 볼게.

논리
철학논고

사실

앞에서 사용했던 '이승엽 선수가 친 공이 우측 담장을 사뿐히 넘어갑니다.'의 예를 보면

깡
(예)

이 문장이 표현하고 있는 사실은 이승엽 선수가 공을 쳐서 그 공이 우측 담장을 넘어갔다는 것이야.

그런데 이 사실에 관여하고 있는 사물들이 있어.

사물?

그 사물들로는 우선 '이승엽'이 있고, 그가 휘두른 '배트'가 있고, '날아가는 공'이 있어.

깡
(공)
(이승엽)
(배트)

마지막으로 우측에 위치해 있는 '담장'이 있겠지.

그 사물들은 그 자체만으로는 아무런 의미가 없어.

이승엽 선수가 홈런을 친 그 사건 속에서 그 사물들은 그 홈런이란 사건이 만들어지도록 서로 연결되어 있어.

이승엽 선수가 친 공이 우측 담장을 사뿐히 넘어갑니다.

하지만 만약에 그 사건에서 공을 따로 떼어 놓으면 우리는 이승엽 선수가 홈런을 친 사건을 이해할 수 없을 거야.

쑥!

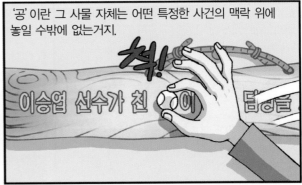

'공'이란 그 사물 자체는 어떤 특정한 사건의 맥락 위에 놓일 수밖에 없는거지.

척!
이승엽 선수가 친 이 담장을

최소한 '~이 있다.' 혹은 '~이 없다.'라는 사건의 맥락 위에서라도 있어야 해.

그러므로 비트겐슈타인이 말하는 '사건'이란, 마치 하나 이상의 부품들이 관절로 이어진 기계라고 생각해도 될 거야.

그래서 '사실' 중 가장 작은 단위인 '원자 사실'은 사물들이라는 부품들이 서로 특정한 관계로 이어진 복합체이지만

더 이상 분해될 수 없는 가장 작은 단위라고 볼 수 있어.

너트와 볼트처럼 말이지.

만약 원자 사실들을 하나도 빠짐없이 모두 모아서 책을 엮는다면 그 책은 이 세계 전체를 담고 있는 책이 될 거야.

왜냐하면 이 세계의 가장 작은 기본 단위는 사물이 아니라 '원자 사실(사태)'이고,

복합 사실들은 원자 사실들로 분석이 되기 때문이지.

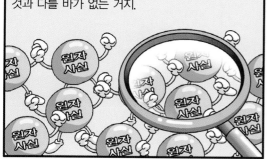

따라서 원자 사실만 모두 알면 이 세계를 다 아는 것과 다를 바가 없는 거지.

그럼 우리가 언어에 관하여 모든 것을 알고 싶다면 어떻게 해야 하지?

명제를 모아 봐.

그래 맞아. 언어를 이루는 가장 단순한 것, 즉 원자 명제를 찾아내고, 그것들을 모두 모으면

우리는 언어 전체를 손아귀에 쥘 수 있을 거야.

또한 이름이란 것은 '원자 명제' 를 구성하는 것들이지만

그 자체만으론 아무 의미가 없으며,

'원자 명제' 의 구조 속에 들어가 자리를 잡으면서 비로소 의미가 생겨난다는 것도 알고 있어야 해.

그러면 또다시 질문을 던져 볼게.

질문

우리가 세계에 대해서 모든 것을 알고 싶다면 어떻게 해야 할까?

원자 사실들을 모두 모아서 한 권의 책으로 쓰면 돼요!

노노노노~ 좀 더 정확한 답은 원자 사실이 아니라 '원자 명제들을 모두 모아서' 라고 해야겠지.

네가 아니고 바로 나야.

원자 명제

원자 사실

욱!

이승엽 선수가 친 공이 우측 담장을 사뿐히 넘어갑니다

글을 쓰기 위해선 내가 필요하지.

언어 가A

왜냐하면 우리는 사실을 경험할 수 있을 뿐, 그것에 대하여 생각하고 글로 쓰고 다른 사람에게 말하기 위해선 언어를 사용할 수밖에 없기 때문이야.

모든 철학의 문제는 언어의 문제라는 것. 철학은 언어 비판이어야 한다는 사실을 잊지 말도록!

언어 비판

언어 가A

자, 그럼 이제 앞에서 미리 살펴보았던 도식을 이해할 수 있겠니?

잘 기억해 둬.

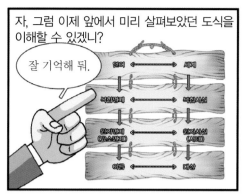

그리고 그 관계에서 가장 중요한 대응 관계는 바로 '원자 명제' 와 '원자 사실' 의 대응이라는 점도 이해할 수 있겠지?

왜냐하면 언어는 원자 명제로 모두 환원될 수 있고, 세계는 '원자 사실' 로 환원될 수 있으니까.

따라서 원자 명제와 원자 사실이 가장 중요한 것이란다.

더 나아가 언어의 모든 그림은 세계의 모든 사실의 모습이라는 것도 이해할 수 있어야 해.

자, 여기서 그치지 말고 좀 더 깊이 그림 이론으로 들어가 볼까?

따라와~

원자 명제와 원자 사실 사이에 그림 관계가 성립한다는 주장이 무엇을 의미하는지는 알겠는데, 원자 명제와 원자 사실 사이에 그러한 관계가 정말 존재하기는 하는 걸까?

뭐야!

지금 우릴 의심하는 거야?

법정에서 사용된 모델의 예를 너무 지나치게 언어와 세계에 대한 설명에 끌어다 쓴 것은 아닐까?

설마, 날 못 믿는 거야?

또한 언어가 세계의 모델 혹은 그림이 될 수 있는 것은 무엇 때문일까?

좋아! 질문에 대한 답을 위해 내 직접 몇 가지를 말해 주지.

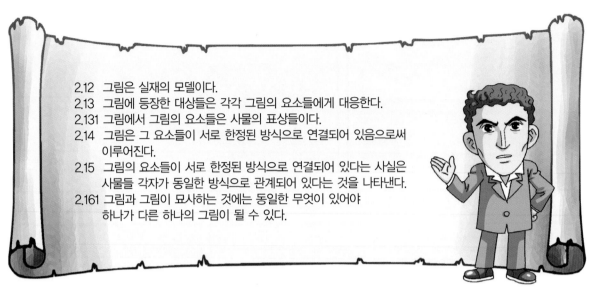

2.12 그림은 실재의 모델이다.
2.13 그림에 등장한 대상들은 각각 그림의 요소들에게 대응한다.
2.131 그림에서 그림의 요소들은 사물의 표상들이다.
2.14 그림은 그 요소들이 서로 한정된 방식으로 연결되어 있음으로써
    이루어진다.
2.15 그림의 요소들이 서로 한정된 방식으로 연결되어 있다는 사실은
    사물들 각자가 동일한 방식으로 관계되어 있다는 것을 나타낸다.
2.161 그림과 그림이 묘사하는 것에는 동일한 무엇이 있어야
    하나가 다른 하나의 그림이 될 수 있다.

여기서 그림이란 명제를 뜻하는 거야.

2.13은 각각의 명제에 등장하는 이름들이 가리키는 대상들은(이승엽, 공, 담장 등) 그림의 요소들(문자 '이승엽', '공', '담장')에 대응함을 말하고 있어.

그리고 2.131은 2.13에 대한 부연 설명에 해당하는 것으로, 문자 '이승엽'은 실재 이승엽 선수의 표상이라는 거지.

이승엽 선수
(실재의 표상)

또한 2.14는 문자 '이승엽', '공', '담장' 등이 서로 한정된 방식, 즉 어떤 일정한 관계를 가지고 연결되면서 이루어진다는 것을 말하고 있어.

이승엽 선수가   친 공이   우측 담장을 사뿐히 넘어갑니다.

즉 '이승엽', '공', '담장' 등의 요소들이
'~가 ~한 ~이 ~을 ~게 ~한다.'의 관계로 한정되어

'이승엽 선수가 친 공이 우측 담장을 사뿐히 넘어갑니다.'라는 그림을 만들어 낸다는 거야.

이승엽 선수가 친 공이 우측 담장을 사뿐히 넘어갑니다.

2.15에선 그렇게 한정된 방식으로 요소들이 연결되어 그림이 된다는 것은 곧 사물들이 그림에서와 똑같은 방식으로 연결되어 있다는 것을 의미하지.

즉 '이승엽 선수가 친 공이 우측 담장을 사뿐히 넘어갑니다.'라는 그림의 연결 방식은 실재 사람인 '이승엽'과 '공'과 '담장' 등이 실재에서도 '~가 ~한 ~이 ~을 ~게 ~한다.'의 형식으로 연결되어 있다는 거야.

~가 ~한   ~이 ~을   ~게 ~한다.
이승엽 선수   공   우측 담장

그리고 2.161은 지금까지 설명한 것들의 근거가 되는 거야.

2. 161
그림과 그림이 묘사하는 것에는 동일한 무엇이 있어야 하나가 다른 하나의 그림이 될 수 있다.

근거

곧 그림과 실재 사건에는 서로 공유하는 무엇이 반드시 있어야 그림이 그려질 수 있다는 것이지.

서로 공유하는 무엇이 있기 때문에 원자 사실과 원자 명제는 서로 대응될 수 있다는 말이야.

원자 명제   원자 사실

그러므로 세계와 언어는 대응될 수 있으며, 그렇게 대응되기에 언어는 세계를 그림으로 그릴 수 있다는 거야.

좀 더 이해하기 쉽게 예를 들어 볼까?

만약 너희가 이승엽 선수가 투수의 공을 쳐 내는 사건을 도화지에 그린다고 생각해 보자.

그려 봐~

설마, 이승엽 선수의 등 뒤쪽에 투수를 그려 넣진 않겠지?

또한 이승엽 선수에게 글러브를 끼워 주지도 않을 것이고

이게 뭐야?

투수의 손에 배트를 쥐어 주지도 않겠지.

만약 그렇게 그림을 그렸다면, 너희는 사실과는 전혀 다른 매우 이상한 그림을 그린 것이야.

아무도 그 그림을 보고 이승엽 선수가 홈런을 친 사실을 읽어 낼 수 없을 테니까.

올바르게 그림을 그렸다면 반드시 실재 사실과 공유하는 무엇을 올바르게 대응시켜 그려야 해.

그림과 그림이 그리려는 것 사이에 공유되는 것이 아무것도 없다면, 그림이란 애초에 그려질 수가 없는 것이지.

뭘 그리지?

이 논증을 잘 살펴보면 비트겐슈타인은 세계에 대한 판단을 언어로부터 이끌어 내고 있다는 것을 알 수 있어.

그림을 내놔~

꿍~

그러니까 비트겐슈타인은 '세계가 ～하기 때문에 언어가 ～하게 만들어진다.'고 말하는 것이 아니라,

세계가 ～하기 때문이 아니야.

'언어가 ～하게 이루어질 수밖에 없기 때문에 세계가 ～하다.'라고 말하는 거지.

언어가 ～하기 때문이지.

앞에서 이야기한 것처럼 비트겐슈타인의 가장 큰 업적은 바로 언어의 중요성을 인식한 언어적 전회라는 점을 다시 한 번 확인할 수 있어.

그럼 도대체 그림과 그림이 묘사하는 실재 사건이 서로 공유하는 '그 무엇'은 어떤 것일까?

이에 대해 비트겐슈타인은 다음과 같이 말해.

2.18
어떤 형태의 것이든 모든 그림이 실재를 재현하기 위해서 실재와 공유하고 있어야만 하는 것은 논리적 형식, 즉 실재의 형식이다.

그림과 그림이 묘사하는 것이 서로 공유하는 것은 '논리적 형식'이라는 것이야.

그것은 마치 악보와 그 악보를 연주하는 소리 사이에 존재하며 서로 공유하는 그 무엇과 같은 것이지.

베토벤이 피아노 소나타를 오선지 위에 음표로 쓰고,

4.014
음반, 악상, 악보 그리고 음파는 모두 언어와 세계 간에 성립하는 것과 동일한 내적 묘사 관계를 가진다.
그들은 모두 공통된 논리적 계획에 따라 구성되어 있다.

그 악보를 보고 어느 피아니스트가 연주했다고 해 보자.

베토벤은 머릿속에서 실재 음향을 상상하며 오선지 위에 그 음향을 그린 것이고, 피아니스트는 그 악보라는 그림을 보고 실재 음향으로 재현하는 거야.

이렇게 베토벤이 오선지 위에 그린 음표 문자가 아름다운 음악 소리로 전환될 수 있는 것은 그들 사이에 공유된 형식이 있기 때문이고

이는 언어와 세계 사이에서도 똑같이 성립한다는 거야.

'선수가 공을 쳤습니다.'

(언어)   (세계)

악보와 음악 소리(음향), 언어와 세계가 서로 공유하고 있는 것이 바로 '논리적 형식'이고 이것이 세계의 형식이야.

비트겐슈타인은 이렇게 언어에 대한 탐구로 시작해서

세계의 형식인 '논리적 형식'에까지 이르렀단다.

비트겐슈타인은 언어가 세계를 그린다고 생각했고

특히 원자 명제가 원자 사실을 그린다고 생각했지.

그리고 그렇게 그림이 만들어질 수 있는 것은 명제와 사실 간에 '논리적 형식'이 공유되기 때문이라고 했어.

제6장

명제란 무엇일까?

우리는 앞에서 그림 이론에 대하여 살펴보았어.

명제는 사실의 그림 또는 모델로서 사실을 대신하여 쓰이며

우리는 그 명제라는 사실의 그림 혹은 모델을 통하여 세계를 이해하고 세계에 대한 의견을 서로 주고받을 수 있어.

또한 명제가 사실의 그림이 될 수 있는 것은 명제와 사실 간에 논리적 형식이란 것을 공유하고 있기 때문이지.

자, 여기까지는 어느 정도 이해가 됐겠지?

그런데 여기서 문제가 다 끝난 것은 아니야.

명제 너~

왜냐하면 명제가 사실의 모델임은 분명하지만, 제대로 모델 역할을 하고 있는지와

똑바로 해!

올바른 그림인지 아닌지는 어떻게 판단해야 하는가에 대한 문제가 남아 있기 때문이야.

맞는 거야?

명제가 사실과 전혀 다른 그림일 수도 있으니까 말이지.

우리에게 무엇이 올바른 그림인지를 판단할 수 있는 근거가 없다면, 우리는 어떠한 명제도 쉽게 믿을 수 없을 거야.

그래서 비트겐슈타인은 명제가 사실을 정확히 그린 그림인지 아닌지를 판단할 기준이 필요하다고 생각했어.

기준?

비트겐슈타인은 그 기준이 무엇이라고 말했을까?

아하

100년에 한 번 나올까 말까 한 천재이니 뭔가 특별한 답을 가지고 있을 것 같지?

좋았어!

깜짝이야.

힉!

그러나 의외로 답은 아주 간단했어.

어떤 명제가 사실에 대한 올바른 그림인지 아닌지를 판단하기 위해선 명제와 사실을 비교해야 한다.

예를 들어 네 친구가 '지금 내 책상 위에는 사과가 하나 있다.'라고 말했다고 해 보자.

지금 내 책상 위에는 사과가 하나 있어.

하지만 친구가 한 말(명제)이 참인지 거짓인지 알 수가 없을 거야.

사실일까?

사실은 책상 위에 오렌지가 하나 있는데, 사과가 있다고 말했을 수도 있으니까 말이야.

그런데 만약 너희가 책상 위에 사과가 하나 놓여 있던 것을 직접 보았다면, 그 명제가 사실의 정확한 그림임을 알 수 있을 거야.

진짜 사과가 있네!

하지만 반대인 경우에, 즉 책상 위에서 오렌지를 보았다면 친구의 말은 사실이 아니며 거짓인 그림이 되겠지.

속았다! 오렌지잖아.

이처럼 하나의 명제는 그것이 사실과 일치할 수도 있고 일치하지 않을 수 있는 두 가지 가능성을 지니고 있어.

불일치   일치

그래서 비트겐슈타인은 한 명제가 사실과 일치할 때 그 명제를 참이라고 했어.

참

반면에 사실과 일치하지 않을 때 그 명제를 거짓이라고 불렀지.

거짓

그래서 한 명제의 진리 함수 값(참인지 거짓인지)을 알기 위해서 우리는 명제를 사실과 직접 비교해야 하는 방법밖엔 없어.

책상 위에는 사과가 하나 있다.

명제

앞에서 살펴보았던 프레게의 진리 함수와 같은 방식이지.

사실

아래 글은 비트겐슈타인의 글 중 한 대목이야.

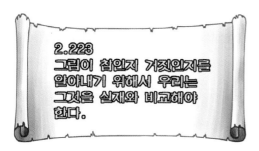

2.223
그림이 참인지 거짓인지를 알아내기 위해서 우리는 그것을 실재와 비교해야 한다.

만약 어떤 사람이 매우 논리 정연하게 말을 했다 하더라도, 우리가 그 사람의 말을 실제의 사실과 대비시켜 보기 전에는 그 사람의 말이 사실인지 아닌지를 판단할 수 없다는 거야.

확인을 해야 해.

사실 비트겐슈타인의 이러한 생각은 너무나도 상식적인 것이어서 더 설명할 필요도 없어.

필요 없어!

그러나 《논리철학논고》를 좀 더 깊게 읽다 보면 비트겐슈타인이 말하는 '명제'란 것이 그리 만만한 개념이 아님을 알게 될 거야.

stop!

명제를 언어와 혼용하여 사용하고 있지만 일반적 문장의 개념이 아니야.

난 너와 달라!

예를 들어 다음과 같은 문장은 명제일까 아닐까?

노란색의 빨간 피아노 소리가 두 날개를 펼치며 날아가고 있다.

비트겐슈타인은 이 문장을 결코 명제라고 말하지 않을 거야.

왜냐하면 이 문장은 참과 거짓의 가능성 자체를 판단할 수 없기 때문이지.

이 문장은 문법적으로 아무런 문제가 없어. 하지만 이 문장과 대조할 사실을 찾을 수가 없고

노란색의 빨간 피아노 소리가 두 날개를 펼치며 날아가고 있다.

사실을 찾습니다~

응!

그렇기 때문에 사실과 일치하는지, 아닌지를 판단할 수가 없기 때문이야.

사실을 찾을 수 없어!

그러므로 하나의 명제가 참 또는 거짓이 될 수 있다는 것은 그 명제가 사실의 그림이 될 수 있는 가능성을 의미하기도 해.

참인 경우는 정확한 사실의 그림이 되는 경우이고, 거짓인 경우는 사실을 잘못 그린 경우일 뿐이지.

책상 위에 사과가 있다. [참]

책상 위에 오렌지가 있다. [거짓]

따라서 앞의 문장은 사실의 그림이 아니라고 할 수 있어.

확인 불가 (그림 아님)

명제란 사실의 그림이 될 수 있는 것이고, 사실의 그림이 될 수 있다는 것은 그 명제가 참과 거짓이라는 의미 혹은 뜻(sense)을 지닐 수 있다는 걸 의미해.

그런데 거짓말에 무슨 뜻이 있지?

하지만 거짓말에도 뜻은 있어.

앞에서 들었던 예를 생각해 봐.

내 책상 위엔 사과가 하나 있어.

책상 위에 오렌지가 있으면서 '사과가 하나 있다.' 라고 했다면 거짓이 되잖아.

속았다!

분명히 거짓이긴 하지만 뜻은 있어.

내 책상 위엔 사과가 하나 있다.

일단 너희들의 머릿속에 책상과 그 위에 놓인 사과를 그려 볼 수 있거든.

문제는 거짓인 명제가 아니라, 도저히 그림 그릴 수 없는 문장

음…?

명제

즉 다음 문장인 경우야.

노란색의 빨간 피아노 소리가 두 날개를 펼치며 날아가고 있다.

문장

그러한 문장은 참도 아니고 거짓도 아니야.

도저히 못 그리겠네.

명제

문

그저 아무런 뜻이 없는 무의미한(senseless) 문장일 뿐이야.

명제

문

의미 없어!

그러한 문장은 당연히 세계의 그림이 될 수 없고, 세계를 이해하는 데 아무런 도움을 주지 못해.

힝~

문장

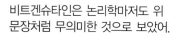

비트겐슈타인은 논리학마저도 위 문장처럼 무의미한 것으로 보았어.

꺼져 버려!

논리학

힝~

논리학은 명제들 사이의 추론 관계를 연구하는 학문이야.

명제

그런데 비트겐슈타인은 하나의 명제가 다른 명제에서 도출된다는 것은

명제

도출

명제

야호~

그 도출된 명제가 무엇을 말하든 간에 그건 전혀 새로운 것이 아니라고 주장해. 그것은 이미 다른 명제가 말해 버린 것일 뿐이라고 생각하기 때문이야.

반복일 뿐이야.

쾅

명제

명제

이해를 돕기 위해 앞에서 살펴보았던 유명한 삼단 논법을 다시 꺼내서 생각해 보자.

사람이다. (V2)

모든 사람은(S1)   죽는다(V1)   소크라테스는(S2)

소크라테스는(S2)   죽는다(V1)

'소크라테스는 죽는다.' 라는 결론은 앞의 두 전제로부터 새롭게 도출된 명제는 아니라는 사실은 다 알겠지?

새롭지 않아.

소크라테스는 죽는다.

'모든 인간은 죽는다.' 와 '소크라테스는 인간이다.' 라는 두 명제가 말하는 내용 중엔 이미 '소크라테스는 죽는다.' 라는 내용이 들어가 있어.

모든 인간은 죽는다.
소크라테스는 인간이다.

소크라테스는 죽는다.

명제

명제

도출

그러므로 이 삼단 논법은 사실은 똑같은 말을 반복한 동어 반복일 뿐이야.

반복일 뿐이야.

동어 반복은 세계에 관하여 아무 것도 말해 주질 않아.

…

동어
반복
✗

예를 들면 다음 문장이 그래.

그 총각은 결혼하지 않은 남자이다.

문장

이미 '총각' 이라는 말에 '결혼하지 않은 남자' 라는 뜻이 들어가 있으니

총각
(결혼하지 않은 남자)

'그 총각은 총각이다.' 라고 말한 것과 다를 바가 없는 거야.

그 총각은 총각이다.

문장

비트겐슈타인은 동어 반복은 실재의 그림이 아니라고 했어.

이건 아니지.

뻥

그건 다음 문장의 경우에도 해당돼.

비가 오거나 오지 않거나 둘 중의 하나이다.

문장

'비가 오거나 오지 않거나 둘 중의 하나이다.' 는 항상 참일 수밖에 없어.

비가 온다.(참)

비가 오지 않는다.(참)

사실 '비가 오거나 오지 않거나 둘 중의 하나이다.' 라는 말은 아무런 말도 하지 않은 것과 마찬가지로 진리는 아니야.

만약에 너희가 내일의 일기 예보를 듣고 싶은데

내일의 날씨는….

내일은 비가 오거나 오지 않을 확률이 매우 높으니 우산을 챙기거나 챙기지 마시기 바랍니다.

기상 캐스터가 이렇게 말한다고 해 봐. 매우 화가 날 거야.

왜냐하면 그 기상 캐스터는 내일의 날씨에 대하여 아무런 말도 하지 않은 것과 같기 때문이야.

음, 음….

말을 해야 알지?

동어 반복이 항상 참인 명제라면, 모순은 항상 거짓인 명제야.

동어 반복 = 항상 참
모순 명제 = 항상 거짓

그러므로 동어 반복 명제와 모순 명제는 사실의 그림이 되지 못하는 명제라고 할 수 있단다.

그릴 수 없어.

즉 '비가 오면서 오지 않는다.' 는 모순 명제이고 항상 거짓이지.

비가 오면서 오지 않는다.

항상 거짓이야!

모순 명제

모순 역시 세계에 대해서 아무것도 말해 주지 않기는 마찬가지야.

조~용

모순 명제

하지만 항상 참이면서 거짓인 것은 뜻을 지녔다고 보긴 어렵지만 참과 거짓을 나타내긴 하지.

그래서 비트겐슈타인은 이러한 동어 반복 명제와 모순 명제를 사실의 그림이 되는 명제와 구분하기 위하여 '의사 명제' 라고 불렀어.

의사 명제는 명제는 아니지만 명제와 비슷한 명제라 할 수 있어.

앞에서 비트겐슈타인은 '명제란 무엇인가?' 란 의문을 풀기 위해 평생을 바친 사람이라고 했지?

걱정하지 마. 꼭 풀어 줄게.

조금 전에 우리는 비트겐슈타인이 말한 명제가, 우리가 흔히 생각하는 문장과는 다르다는 것을 배웠어.

비트겐슈타인이 말하는 명제란, 사실의 그림 혹은 모델로서 우리에게 사실 세계를 이해하게 해 주는 것이라는 것도 배웠어.

그런데 여기서 한 가지 유의해야 할 것은 그러한 명제 중에서도 엄밀히 말하면 원자 명제만이 사실의 그림이 되는 명제라는 점이야.

물론 원자 명제가 그림이 되는 사실은 원자 사실이지.

그러면 의문이 남을 거야.

그럼 복합 명제는 복합 사실의 그림이 될 수 있는 것일까? 하는 의문 말이야.

복합 명제는 복합 사실의 그림이 될 수 없어.

복합 명제는 하나의 그림이 아니야.

철학적 탐구

엄밀히 말하면 그림일 수 있는 것은 원자 명제일 뿐이야.

그럼 복합 명제란 무엇일까?

복합 명제는 원자 명제가 결합되어 있는 것이고 원자 명제의 그림들이 조합된 혼합물과 같은 것으로 보면 돼.

예를 들어서 '철수는 키가 크고 영희는 키가 작다.'는 복합 명제인데 이것은 '철수는 키가 크다.'와 '영희는 키가 작다.'로 나눌 수 있어.

'철수는 키가 크다.'와 '영희는 키가 작다.'는 더 이상 나눌 수 없으니 원자 명제라고 볼 수 있지.

비트겐슈타인은 그림으로서의 명제는 오로지 원자 명제의 차원에서 이루어진다고 말했어.

따라서 '철수는 키가 크고 영희는 키가 작다.'란 복합 명제는 그 자신이 하나의 그림이라기보다는 원자 명제 그림들의 혼합이라고 할 수 있는 거야.

이러한 설명은 의미의 차원에서도 마찬가지로 적용돼.

'철수는 키가 크고 영희는 키가 작다.' 라는 복합 명제의
참과 거짓은 사실과 대조해 보면 알 수 있는데,
즉 먼저 철수가 키가 큰지 작은지를 따져 보고,
그 후에 영희가 키가 큰지 작은지를 따져 보는 거야.

만약에 철수는
키가 크고 영희는
키가 작다면
그 복합 명제는
참이 되겠지.

160
140
120
100
80
60
40
20

이처럼 원자 사실은 명제의 모델이며
원자 명제는 사실의 그림이 되지.

원자 명제

원자 사실

복합 명제의 진리 값은 복합 사실과 곧바로
대조해서 판단할 수 없어.

사실과
대조해 봐야지.

바로는 안 돼!

복합
명제

복합
사실

왜냐하면 그림으로 서로 대조해
볼 수 있는 것은 원자 명제와 원자
사실뿐이기 때문이지.

원자
명제

원자
사실

그러므로 복합 명제는 원자 명제로
각각 쪼개서

각각 대응하는 원자 사실과
대조해 그 조합으로 진리
값을 따져야 해.

참일까
거짓일까?

원자
명제

원자
사실

비트겐슈타인은 복합 명제의 진리 값을 편리하게 따져 보기
위해 그 유명한 '진리 함수표' 라는 것을 만들었어.

사실

'진리 함수표' 는 복합 명제의 진리 값을 알아보기
쉽게 정리해 놓은 표야.

진리 함수표

예를 들면 다음과 같은 것들이 있어.

〈 표 1 〉

p	q	p.q
T	T	T
T	F	F
F	T	F
F	F	F

〈 표 2 〉

p	q	p ∨ q
T	T	T
T	F	T
F	T	T
F	F	F

*p, q : 명제. T : true 참. F : false 거짓.

〈표 1〉은 'p이고 q이다.' 형식의 복합 명제의 진리 함수표이고

〈표 2〉는 'p 또는 q이다.' 형식의 복합 명제의 진리 함수표야.

물론 p와 q는 더 이상 분석될 수 없는 원자 명제이지.

위 표에서 'p이고 q이다.'는 원자 명제 p와 q가 모두 참일 때만 참이고, 나머지 경우는 모두 거짓이야.

'p 또는 q이다.'의 경우에는 원자 명제 p와 q가 모두 거짓일 때만 거짓이고, 나머진 모두 참이지.

위 표에 '철수는 키가 크고 그리고 영희는 키가 작다.'와 '철수는 키가 크거나 또는 영희는 키가 작다.'를 대입하여 한번 살펴볼까?

ⓐ 복합 명제 '철수는 키가 크고 그리고 영희는 키가 작다(p이고 q이다).'의 진리 함수표

철수는 키가 크다.	영희는 키가 작다.	철수는 키가 크고 그리고 영희는 키가 작다.
T	T	T
T	F	F
F	T	F
F	F	F

'철수는 키가 크고 그리고 영희는 키가 작다.'의 경우엔 '철수는 키가 크다.'와 '영희는 키가 작다.'가 모두 참일 때만 참이고 나머지 경우는 모두 거짓이 되지.

ⓑ 복합 명제 '철수는 키가 크거나 또는 영희는 키가 작다(p 또는 q이다).'의 진리 함수표

철수는 키가 크다.	영희는 키가 작다.	철수는 키가 크거나 또는 영희는 키가 작다.
T	T	T
T	F	T
F	T	T
F	F	F

'철수는 키가 크거나 또는 영희는 키가 작다.'의 경우엔 '철수는 키가 크다.'와 '영희는 키가 작다.'가 모두 거짓일 때만 거짓이고 나머지는 모두 참이 되지.

이렇게 복합 명제는 하나의 그림이 아니기 때문에 실재 사실과 대조할 수 없어.

그래서 복합 명제의 진리 값은 반드시 원자 명제로 쪼개어 그것을 각각의 사실과 대조해야 참과 거짓을 판단할 수 있다고 했어.

그 다음에는 비트겐슈타인이 만든 진리 함수표에 따라 정리하는 방법을 통하면 참과 거짓을 구할 수 있어.

그러면 앞에서 살펴보았던 동어 반복 명제를 진리 함수표로 확인해 볼까?

비가 온다.(p)	비가 오지 않는다.(-p)	비가 오거나 오지 않거나이다. (p ∨ -p)
T	F	T
F	T	T

'비가 오거나 오지 않거나이다.' 와 같은 동어 반복 명제는 모든 경우에 참이 되는데

'비가 온다.' 라는 원자 명제가 참인 경우에는 '비가 오지 않는다.' 가 거짓이더라도 '또는' 이라는 연언(∨)으로 연결되어 있기 때문에 참이 되며,

'비가 온다.' 라는 원자 명제가 거짓이라 하더라도 '비가 오지 않는다.' 가 참이 되므로 역시 '비가 오거나 오지 않거나이다.' 는 참이 될 수밖에 없지.

그러면 이번엔 모순 명제를 진리 함수표로 살펴보자.

비가 온다.(p)	비가 오지 않는다.(~p)	비가 오고 그리고 오지 않는다. (p · ~p)
T	F	F
F	T	F

'비가 오고 그리고 오지 않는다.'와 같은 모순 명제는 모든 경우에 거짓이 되는데

'비가 온다.'라는 원자 명제가 참인 경우에 '비가 오지 않는다.'는 거짓이 되고

그 두 원자 명제가 '그리고(and)'로 결합되었기에

하나가 거짓이면 모두 거짓이 되지.

그렇기에 반대 역시 마찬가지로 거짓이 될 수밖에 없어.

이러한 진리 함수표를 사용하면 아무리 복잡한 복합 명제의 경우라도 원자 명제로 쪼개서 그 진리 값을 대입하여 함수표대로 계산한다면

그 명제의 정확한 진리 값을 구할 수 있어.

비트겐슈타인이 만들어 낸 이 진리 함수표는 정확하고 논란의 여지가 없기 때문에 매우 편리하고 군더더기가 없다는 장점이 있어.

정말~ 대단해요!

지금까지 우리는 비트겐슈타인이 말하는 명제에 대해서 다시 한 번 자세히 살펴봤어.
배운 것을 간단히 정리해 볼까?

- 명제는 보통 우리가 생각하는 문장과는 다른 것이다.
  명제는 사실의 그림이 될 수 있는 것이고, 그 그림이 사실과 일치하는지 살펴봄으로써 참인지 거짓인지를 가려 낼 수 있다.

- 참과 거짓을 가리려면 그림과 사실이 일치하는지의 여부를 직접 확인해야 한다.
  복합 명제는 그림이 없으므로 복합 명제의 참과 거짓은 곧바로 판단할 수가 없다.

- 복합 명제의 진리 값은 원자 명제들로 쪼갠 후, 각각을 사실과 대조하여 각각의 진리 값을 얻어 낸 후에 비트겐슈타인이 직접 만들어 낸 진리 함수표에 대입하여 판단할 수 있다.

- 세계는 복합 사실들로 이루어져 있고, 그 복합 사실은 더 이상 쪼갤 수 없는 원자 사실로 분석될 수 있다.
  그리고 그 각각은 서로 대응한다.

[표1]		
p	q	p·q
T	T	T
T	F	F
F	T	F
F	F	F

[표2]		
p	q	p∨q
T	T	T
T	F	T
F	T	T
F	F	F

- 우리의 언어는 무수한 복합 명제들로 이루어져 있고 그 복합 명제는 더 이상 쪼갤 수 없는 원자 명제들로 분석될 수 있다.

- 그림이 될 수 있는 것은 원자 명제뿐이며 복합 명제는 그 원자 명제들이 조립된 것이다. 그러므로 '그림 이론'이 다루고 있는 언어는 복합 명제가 아니라 원자 명제이다.

비트겐슈타인은 '말할 수 있는 것'과 '말할 수 없는 것'의 구분은 원자 명제가 무엇인지 이해할 때 가능하다고 했어.

그림이 그려질 수 있는 것이 말할 수 있는 것이고, 그것은 곧 원자 명제로 표현되지.

반면에 그림이 그려질 수 없는 것은 당연히 말할 수 없는 것이고, 원자 명제를 가질 수 없어.

말할 수 있는 것은 원자 명제들과 그 조합들인 복합 명제들이며, 그 명제들은 사실과 대조하여 참·거짓을 가릴 수 있는 것이어야 한다고 했어.

그러므로 말할 수 있는 것은 우리가 사실로 확인할 수 있는 것들이란 결론에 이르게 돼.

그래서 비트겐슈타인은 '진리란 ~이다.'나 '신이란 ~이다.'라는 식의 명제는 무의미한 것이라고 했어.

왜냐하면 그러한 명제들과 대조할 수 있는 사실을 우리는 경험할 수 없기 때문이야.

또한 의미가 있는 명제는 세계 속에서 벌어지는 사건의 상태를 그려 놓은 것인데

철학적 탐구

윤리학이나 미학, 그리고 형이상학이 다루는 내용들은 우리가 세계 속에서 발견할 수 없는 것들로 되어 있으므로 무의미한 것이라고 할 수 있어.

그것들은 우리가 살아가는 세계를 초월해 있고, 그 세계의 그림인 언어를 초월해 있기 때문이야.

그리고 또 한 가지, 우리의 언어가 그림 그릴 수 없는 것이 있어.

그것은 '논리적 형식'이야.

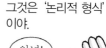

언어가 세계를 그릴 수 있는 것은 언어와 세계가 공유하고 있는 논리적 형식 때문이라고 했지.

비트겐슈타인은 명제가 세계와 공유하고 있는 이 논리적 형식 역시 명제를 사용하여 재현할 수 없다고 말했단다.

명제는 사실을 그림 그릴 수 있지만, 그러한 그림을 가능하게 해 주는 논리적 형식은 그릴 수 없다는 거야.

그 말은 곧 '논리적 형식'에 대해선 우리가 말할 수 없다는 거지.

우리는 언어와 세계가 서로 논리적 형식을 공유하고 있다는 것까진 말할 수 있지만

막상 그 논리적 형식이란 것이 무엇이냐고 물으면 말할 수 없다는 거야.

'논리적 형식'에 관하여는 왜 말할 수 없는 걸까?

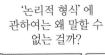

그것은 논리적 형식이 우리가 사용하는 명제에 스며들어 있기 때문이야.

예를 들어 만약에 너희들이 어떤 색안경을 끼고 세상을 바라본다고 해 보자.

너희는 그 색안경을 통해서만 세상을 바라볼 수 있어.

그런데 너희가 갑자기 색안경의 구조가 알고 싶어졌어.

그렇다면 너희는 색안경을 벗어서 살펴봐야 하겠지?

어디, 어떻게 생겼는지 살펴볼까?

그런데 색안경을 벗으면 너희는 아무것도 바라볼 수가 없잖아?

이런, 안경을 벗었더니 앞이 안 보이네.

그래서 서글픈 일이긴 하지만 결국 너희들은 색안경의 구조에 관해서 영원히 알 수가 없는 거야.

논리적 형식은 바로 그러한 색안경과 같은 거야.

우리가 무엇을 말하려면 항상 우리는 논리적 형식을 사용할 수밖에 없어.

그러므로 논리적 형식이 무엇인지, 곧 명제가 세계를 그리는 형식이 무엇인지는 명제를 다시 사용하여 표현할 수밖에 없다는 거야.

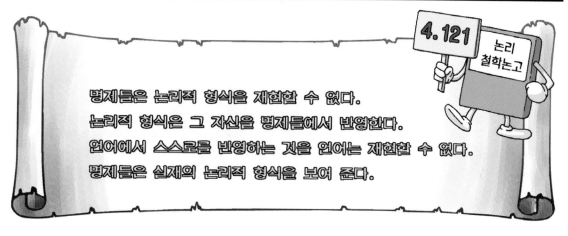

4.121

논리철학논고

명제들은 논리적 형식을 재현할 수 없다.
논리적 형식은 그 자신을 명제들에서 반영한다.
언어에서 스스로를 반영하는 것을 언어는 재현할 수 없다.
명제들은 실재의 논리적 형식을 보여 준다.

《논리철학논고》에서 궁극적으로 말하고자 했던 것이 있었어.

말할 수 없는 것에 대해선 침묵해라.

우리는 지금까지 명제란 무엇인지를 자세히 살펴보았어.

사실의 그림이 될 수 있는 것이 바로 명제이며, 그러한 명제들만이 말해질 수 있지.

그러나 우리가 명제와 대조할 수 있는 사실을 발견할 수 없는 것들은 말할 수 없는 것들이라고 했어.

그러면 철학이 다루는 대부분의 문장들은 말할 수 없는 무의미한 문장들이 돼.

하지만 비트겐슈타인은 철학은 말할 수 있는 것들의 영역을 한계 지어 주는 역할은 할 수 있다고 했어.

비트겐슈타인은 철학은 언어 비판이라고 했어.

그리고 철학은 언어의 한계를 설정해 준다고 했어.

즉 철학은 '말할 수 있는 것은 여기까지다!' 라고 선을 그어 주는 일을 한다는 거야.

그것이 철학이 해야 할 일이라고 했어.

따라서 철학이 자신의 신분을 벗어나 우리가 경험하는 것들 너머에 있는 어떤 궁극적 진리 같은 것들에 관하여 말하려고 해서는 안 된다고 했어.

철학적 탐구

그러면 기존의 철학에서 중시하는 윤리적이고 실존적인 문제들은 어떻게 해야 할까?

음, 신이란….

비트겐슈타인의 주장에 따르면 그러한 문제들은 말할 수 없는 것들이고 따라서 침묵해야겠지.

읍!

조용~

하지만 비트겐슈타인은 말할 수 없다고 해서 쓸모없는 것으로 여기지는 않았어.

응!

끙-

오히려 그러한 문제들은 우리의 삶에서 매우 중요한 문제들이라고 여겼어.

이 문제는 실천의 문제들이야.

쉽게 말하면 그러한 것들에 관해 말하려 노력하지 말고, 그저 윤리적인 행동, 실존적인 고민, 즉 직접 몸으로 실천하라는 거지.

말할 수 없는 것

윤리적인 행동

그러면 행위들과 실천들 속에서 자연스럽게 드러날 것이라고 그는 보았어.

실천

그래서 비트겐슈타인은 '말할 수 없는 것들은 보일 수는 있다.' 라고 말하는 거야.

말할 수 없는 것

욱!

떡

행복한 삶

신앙 생활

정의로운 행동

제7장

《논리철학논고》에서 《철학적 탐구》로의 전환

비트겐슈타인은 《논리철학논고》를 출판하고 나서 철학의 모든 문제를 해결했다고 생각했어.

이거 하나면 충분해!

그는 말할 수 있는 것과 말할 수 없는 것의 경계를 분명히 함으로써 그동안 철학의 주요 문제였던 말할 수 없는 것을 드러내려 했어.

그리고 이제 철학의 역할은 바로 그러한 경계선을 그어 주는 것,

곧 언어의 한계를 설정하여 무분별한 언어의 사용을 막아 주는 '언어 비판'적 일이어야 함을 주장했지.

선 밖으로 나오지 마!

그래서 비트겐슈타인은 자신이 철학을 했던 케임브리지를 떠나 고향인 오스트리아로 가게 된단다.

고향으로 내려가야 겠어.

그리고 그는 초등학교 교사가 되기 위하여 사범 학교에 등록했어.

교사가 되고 싶다고?

사범학교

네.

그의 발령지는 오스트리아의 트라텐바흐라는 산골 마을의 초등학교였어.

교사임용장
발령지
트라텐바흐

그는 항상 그러한 깊숙한 산골 마을이나 시골 마을을 좋아했거든.

아마도 그건 비트겐슈타인이 가지고 있었던 일종의 청빈주의적 생각 때문이었을 거야.

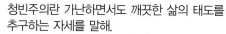

청빈주의란 가난하면서도 깨끗한 삶의 태도를 추구하는 자세를 말해.

나도 청빈주의

윽! 냄새.

이건 아니지!

하지만 비트겐슈타인이 철학적 활동을 완전히 접었던 것은 아니었어.

철학

어

택

잠깐!

그는 초등학교에서 아이들에게 언어를 가르치면서도 자신의 사유를 계속해 나가고 있었지.

언어란?

특히 나이 어린 학생들에게 언어를 가르쳤던 경험은 그의 후기 철학에 많은 영향을 주었단다.

언어는 게임이다!

철학적 탐구

비트겐슈타인이 초등학교에서 아이들을 가르치고 있을 때, 이미 그의 책 《논리철학논고》는 철학계에서 활발하게 논의되고 있었고

비트겐슈타인은 철학계의 중심적인 인물이 되어 있었어.

특히 논리 실증주의자들은 비트겐슈타인의 《논리철학논고》를 아주 꼼꼼히 공부하고 있었지.

그러나 이처럼 《논리철학논고》가 철학계에서 매우 중요한 책으로 인식되어 가고 있을 때

오히려 비트겐슈타인 본인은 《논리철학논고》의 내용이 뭔가 잘못되었다는 생각을 점점 하게 되었어.

뭔가 이상해!

찔끔!

특히 램지와의 대화가 큰 자극이 되었어.

《논리철학논고》에 대하여 하고 싶은 말이 있습니다.

프랭크 P. 램지
(Frank P. Ramsey, 1903~1930)
케임브리지의 촉망받는 수학자이자 철학자.
《논리철학논고》의 영어판을 내는 데 참여하기도 했다.

램지는 〈마인드〉 라는 저명한 철학 잡지에 《논리철학논고》에 대한 서평을 쓰기도 했어.

1923년 여름, 램지가 오스트리아의 빈으로 온다는 소식을 듣고 비트겐슈타인은 램지를 자신이 근무하고 있던 시골 마을로 초대했어.

램지는 그곳에서 2주 정도 머물면서 비트겐슈타인과 《논리철학논고》를 한 줄 한 줄 매우 꼼꼼히 읽는 시간을 가졌단다.

이 부분이….

그런 후 램지는 《논리철학논고》의 내용에 대해 한 가지 날카로운 지적을 했는데 그것은 '색채 배제의 문제'였어.

이 부분은 어떻게…?

아니!

색채 배제

비트겐슈타인은 《논리철학논고》에서 두 색채가 동시에 한 장소에 있는 것은 논리적으로 불가능하다고 주장했어.

여긴 내 지역이야 저리 가~

윽

즉 하나의 사물이 빨간색이라면 빨간색이고 초록색이라면 초록색인 것이지

빨간색

초록색

빨간색이면서 동시에 초록색일 수는 없다는 거야.

빨간 꽃은 내 자리.

이 말은 곧 '이것은 빨강이다.'와 '이것은 초록이다.'라는 두 명제가 논리적으로 독립적이지 않다는 것을 의미해.

왜?

왜냐하면 '이것은 빨강이다.'가 참이라면 '이것은 초록이다.'는 반드시 거짓이 될 수밖에 없기 때문이지.

이것은 빨강이다.

이것은 초록이다.

거짓

참

그러면 '이것은 빨강이다.'와 '이것은 초록이다.'라는 두 문장이 모두 원자 명제가 아니라는 결론에 이르러.

넌 나와 달라!

원자 명제

원자 명제란 더 이상 쪼개질 수 없는 명제이므로 논리적으로 독립적이고 단일한 명제여야 하거든.

떙강

원자 명제

그런데 '이것은 빨강이다.'와 '이것은 초록이다.'라는 두 명제에서처럼 색채에 관한 명제들은 서로 독립적이지 못하다는 것이 밝혀져 버린 거야.

색채

만약 '이것은 빨강이다.'와 '이것은 초록이다.'의 두 명제가 원자 명제가 아니라면, 복합 명제라는 이야기이고 아직 더 분석할 수 있는 상태라는 말이 돼.

그렇다면 이것을 어떻게 더 분석할 수 있을까?

비트겐슈타인은 일단 색의 농도 차이로 분석이 가능할 것이라고 생각했어.

하지만 농도의 차이에 따라 더 분석할 수 있다는 해결책에 대해 램지는 회의적이었어.

왜냐하면 그것은 논리학이 아니라 물리학으로 색채의 문제를 해결하는 방식이 될 수밖에 없었거든.

램지는 이 문제를 어떻게 해서든지 논리적으로 해결해야 한다고 생각했어.

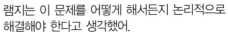

만약 그렇지 못하면 언어와 논리와 세계에 대한 비트겐슈타인의 모든 체계는 물리학으로 환원될 수밖에 없는 운명에 처해지니까 말이야.

비트겐슈타인은 결국 램지의 그러한 지적을 받아들일 수밖에 없었어.

철학적 탐구

색채에 관한 이 문제는 사소한 것처럼 보이지만 대단히 치명적인 결함이었어.

으~

다, 너 때문이야.

논리 철학논고

비트겐슈타인은 '이것은 빨강이다.' 와 '이것은 초록이다.' 라는 두 명제가 논리적으로 독립적인 원자 명제임을 증명하지 못했고

어떻게 하지?

그렇다고 그 명제들을 더 분석하여 논리적으로 독립된 색채에 관한 원자 명제도 보여 주지 못했어.

미안해~

힝-

힝-

논리고

그런데 비트겐슈타인이 이 문제를 해결하지 못하면, 그의 진리 함수표마저도 모두 포기해야 하는 상황이었던 거야.

이대로 포기할 건가요?

진리 함수표

논리

우리가 앞에서 살펴보았지만 비트겐슈타인은 복합 명제의 경우 원자 명제들의 진리 함수에 의해서 진리 함수 값이 정해진다고 주장했지.

분석

진리 함수표

원자 명제

p

q

이것은 그 어떠한 원자 명제라도 모두 동일하게 적용되어야 해.*

내 지시를 따라 줘.

진리 함수표

and   or

넵!

*즉 두 원자 명제가 있다면 항상 두 원자 명제의 논리적 곱(연언 관계)은 진리 함수표를 따라야 한다는 뜻.

그런데 '이것은 빨강이다.' 와 '이것은 초록이다.' 라는 두 명제의 논리적 곱인 '이것은 빨강이고 그리고 초록이다.' 는 다음과 같이 만들어져.

이것은 빨강이다.(p)	이것은 초록이다.(q)	p · q
T	F	F
F	T	F
F	F	F

'이것은 빨강이다.' 가 p이고 '이것은 초록이다.' 가 q라면,

p   q

즉, 색채에 관한 명제들의 논리적 곱에서는 진리 함수표의 첫 줄이 사라져야 한다는 거야.

이것은 빨강이다.(p)	이것은 초록이다.(q)	p · q
T	F	F
F	T	F
F	F	F

왜냐하면 어떤 것이 빨강이면서 동시에 초록일 경우는 없으니까 말이야.

우린

하나가 되고 싶어~

색채 배제의 문제는 비트겐슈타인이 주장했던 모순 명제의 예외적인 사례를 하나 만드는 계기가 되었어.

비트겐슈타인은 《논리철학논고》에서 모순 명제의 형식으로 '비가 오면서 오지 않는다.' 와 같은 'p and -p' 의 형식 하나만을 들었었지.

비가 온다.(p)	비가 오지 않는다.(-p)	비가 오고 그리고 오지 않는다. (p · -p)
T	F	F
F	T	F

그러나 '이것은 빨강이면서 초록이다.' 의 경우처럼 'p and q' 의 형식이라도 모순 명제가 되는 상황이 발생하게 된 거야.

이제 비트겐슈타인은 진리 함수의 완결성과 원자 명제의 논리적 독립성, 그리고 그의 논리학에 대한 주장들을 모두 포기해야 할지도 모르는 상황이었지.

진리 함수와 원자 명제는 《논리철학논고》의 핵심 주장인 그림 이론을 지탱해 주는 매우 중요한 논거들이었으므로, 비트겐슈타인은 색채 문제 하나 때문에 《논리철학논고》 전체를 수정해야 하는 상황에 이르게 된 거지.

비트겐슈타인은 문제의 심각성을 인식하고 다시 케임브리지로 돌아오게 된단다.

다시 시작하는 거야.

그리고 한 편의 글을 발표하게 되는데, 그것은 1929년에 발표한 《논리적 형식에 대한 몇 가지 의견들》(이하 '철학적 의견')이란 논문이었어.

그리고 결국 비트겐슈타인은 이 글에서 《논리철학논고》의 주요 입장 일부를 포기하고 새로운 언어관으로 전환하고 있는 모습을 보여 주었단다.

미안, 어쩔 수 없어.

비트겐슈타인은 《철학적 의견》에서 언어와 세계를 매개하는 단일한 논리적 형식이 있다는 《논리철학논고》의 주장을 포기하게 되었어.

《논리철학논고》에선 명제와 사실 간에는 일대일 대응 관계가 성립하고,

그러한 관계가 언어와 세계가 공유하고 있는 논리적 형식이라고 주장했잖아?

또한 다른 수많은 명제들은 모두 가장 작은 단위인 원자 명제들의 결합이기 때문에 그러한 원자 명제들의 논리적 형식만이 유일한 것이라고 했고,

네가 최고야! 너뿐이야.

정말!

그런데 이러한 생각에 변화가 생긴 거야.

병이야~

형~

《철학적 의견》에서 비트겐슈타인은 언어와 세계를 연결시켜 주는 고리와 같은 논리적 형식은 단일하지 않고 다양하다고 주장해.

단일한 논리적 형식이 있다는 것은 세계와 언어를 지나치게 획일화시켜서 생각하는 것이라고 입장을 바꾸게 된 것이지.

색채 배제의 문제 같은 것도 세계와 언어의 관계를 너무 도식적이고 획일적으로 바라보았기 때문에 생긴 문제라고 했어.

이제 비트겐슈타인은 하나의 명제가 사실의 그림이 됨으로써 의미를 가지게 된다는 그림 이론을 포기했어.

대신에 우리가 사용하는 언어가 세계에 관하여 의미 있게 말할 수 있는 방식은 다양하다는 입장을 취했지.

비트겐슈타인은 기존에 가지고 있었던 원자주의를 포기하고

전체적인 체계나 구조를 강조하는 총체주의적 언어관을 가지게 되었단다.

비트겐슈타인의 말을 한번 들어 볼까?

나는 한때 '하나의 명제는 실재에 대해서
자처럼 재어진다. 눈금의 가장자리 끝만이
측정되는 대상과 맞닿게 된다.'고 썼다.
이제 내가 선호하는 바는, 명제들의 체계가
실재에 대해서 자처럼 재어진다는 것이다.
하나의 명제가 아니라 전체 체계가 실재와
비교되는 것이라고 말하는 것이다.

이것이 무슨 말일까? 너희들이 어떤 물건의
길이를 잰다고 한번 생각해 봐.

어디 보자….

그 물건의 끝부분에 자의 30센티미터 눈금이
자리했다면, 우리는 그 물건의 길이가
30센티미터라고
판단하지.

나무토막의
길이는 30센티네.

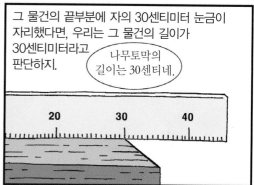

마치 그 물건의 길이를 잴 때 30센티미터라는
숫자가 써진 그 눈금만을 보고 잰 것처럼 생각되지.

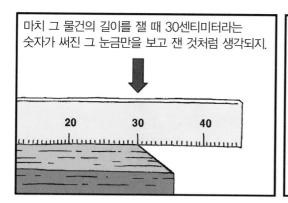

그런데 우리는 자에서 30센티미터의 눈금만을 읽었지만,
사실은 0센티미터에서부터 30센티미터까지를 동시에 읽은
것이나 마찬가지야.

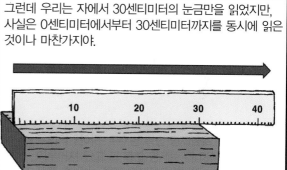

왜냐하면 우리는 그 물건의 끝부분만을 잰 것이
아니라 그 물건 전체의 길이를 잰 것이기 때문이지.

이 나무토막의
길이는
0~30센티야.

또한 이것은 우리는 동시에 그 물건이 10센티미터도
아니고 20센티미터도 아님을 동시에 읽은 것이기도 해.

비트겐슈타인은 우리가 색채를 인식할 때도 마찬가지라고 했어.

우리가 빨간색 꽃을 볼 때는 그것이 초록색도 아니고 노란색도 아니란 것을 함께 인식하게 된다는 거야.

그것은 물건의 길이를 재기 위해 수많은 숫자의 눈금이 그어진 자를 가져다 대듯이 색의 전체 목록표를 가져다 대기 때문이야.

비트겐슈타인은 이러한 방법으로 색채의 문제를 해결했어.

이 일은 하나의 원자 명제가 하나의 원자 사실이 논리적으로 독립되어 있으면서 서로 일대일로 대응하고 있다는 《논리철학논고》의 핵심 주장을 포기함으로써 가능했어.

비트겐슈타인은 《논리철학논고》에서처럼, 우리가 세계에서 일어나는 하나의 사실을 이해하는 것이 하나의 명제가 그 하나의 사실과 일대일로 대응하여 의미를 가지게 된다는 주장을 철회했어.

대신 그는 하나의 명제는 다른 수많은 명제들의 체계의 일부로 작용한다는 주장을 폈지.

마치 그 전까진 자의 한 눈금이 그 물건의 끝부분과 일대일로 대응한다고 생각했다가, 이제는 그 자의 전체 체계 중 일부로서 하나의 눈금이 있을 뿐이라고 생각하듯이 말이야.

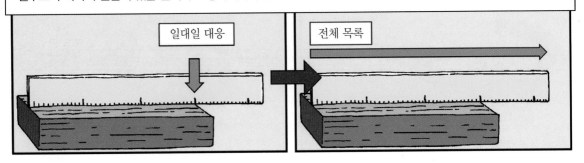

철학적 탐구

원자 명제들이 모여서 복합 명제가 되고, 복합 명제들이 다시 모여서 하나의 언어가 된다는 《논리철학논고》의 생각은 이젠 하나의 체계로서의 언어가 먼저 있고, 그 다음에 체계 전체 중의 하나로써 명제를 적용한다는 식으로 바뀌게 돼.

그러면서 비트겐슈타인은 단일한 하나의 논리가 언어와 세계 사이에 작용한다는 생각을 버리고, 언어와 세계 사이에는 다양한 논리들이 관계되어 있다고 생각하게 되었어.

비트겐슈타인은 우리가 사용하는 언어의 다양한 논리적 관계들이 가진 규칙과 규제들을 문법이라고 부르기 시작했어.

여기서 말하는 문법은 우리가 학교 문법 시간에 배우는 그런 의미의 문법을 말하는 것은 아니야.

비트겐슈타인은 색채의 문법이 있고, 소리의 문법이 있고, 숫자의 문법이 있듯이 다양한 체계들의 문법이 있다고 말했어.

예를 들어서 다음과 같은 문장은 색채의 문법과 소리의 문법을 혼동해서 사용하고 있다는 거야.

색채의 체계는 색채의 문법으로 규제되며, 소리의 체계는 소리의 문법으로 규제되고 있어.

그러므로 색채의 체계에 소리의 문법을 적용할 수 없고, 반대로 소리의 체계에 색채의 문법을 적용할 수 없지.

만약 《논리철학논고》에서였다면 '이 피아노 소리는 저 오르간 소리보다 채도가 짙다.'라는 명제가 어떠한 사실에 대한 그림도 될 수 없기 때문에 무의미하다고 말했을 거야.

그러나 이젠 색채의 문법과 소리의 문법이 서로 다르기 때문에 무의미하다고 말하는 거야.

이제 비트겐슈타인은 《논리철학논고》에서처럼 단일한 논리적 형식에 집착해서는 안 된다고 말해.

예를 들어, 색채의 문제에서 색채 현상에 관한 물리적 문법과 우리가 일상생활에서 경험하는 색채 현상의 문법은 다르며

그것은 두 현상 사이에 단일한 논리적 형식이 없다는 것을 증명한다고 주장해.

예를 들어, 우리는 원형 색 주기표상의 색의 배열을 가지고도 서로 다른 문법 체계를 적용할 수 있어.

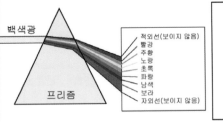

원형 색 주기표: 빛이 프리즘을 통과했을 때 그 파장에 따라 배열되는 색의 순서를 원형으로 배열한 것.

다음 그림처럼 빨강, 노랑, 초록, 파랑, 남색, 보라 등의 순서로 색이 배열되어 있지.

이제 다음의 두 명제를 살펴보도록 하자.

(1) 주황은 빨강과 노랑 사이에 위치한다.
(2) 노랑은 빨강과 초록 사이에 위치한다.

명제 (1)과 명제 (2)에서 표면적인 문법의 차이는 발견할 수 없어.

그러나 비트겐슈타인은 (1)과 (2)에 공통적으로 쓰이는 '사이에 위치한다.'는 동일한 의미를 지니고 있지 않다고 주장해.

무슨 소리. 둘은 같지 않아!

네?

즉 문법적으로 동일한 기능을 수행하고 있지 않다는 거지.

○   ✕

왜냐하면 우리가 빨강과 노랑을 섞으면 주황색을 얻을 순 있지만, 빨강과 초록을 혼합한다고 해서 노란색을 얻을 순 없기 때문이야.

그러므로 다음과 같은 결과를 얻게 되지.

(1) 주황은 빨강과 노랑 사이에 위치한다.
→ 빨강과 노랑을 혼합하면 주황이 된다.(o)

(2) 노랑은 빨강과 초록 사이에 위치한다.
→ 빨강과 초록을 혼합하면 노랑이 된다. (x)

(1)은 옳지만 (2)는 틀려.

(1) 주황은 빨강과 노랑 사이에 위치한다.
(2) 노랑은 빨강과 초록 사이에 위치한다.

이는, (1)의 표현에서 '사이에 위치한다.'는 두 색의 혼합의 결과를 의미하지만

(2)에서 '사이에 위치한다.'는 두 색의 주기율표의 위치 사이에 놓여 있다는 것을 의미하기 때문이야.

즉 두 색의 파장 사이에 있다는 거지

이처럼 '사이에 위치한다.' 는 표현은 단일한 논리적 형식을 지니고 있는 것이 아니라

각각이 쓰이는 문법적 맥락이 있는 것이야.

혼합적 맥락

위치적 맥락

그래서 비트겐슈타인은 우리가 사용하는 언어의 표현들은 그 표현들이 어떠한 상황에서 쓰이는가에 따라 각기 다른 다양한 문법의 규제를 받게 된다는 생각을 했어.

그리고 우리가 이러한 문법적 차이들을 무시하고 모든 언어에 단일한 법칙을 적용하려 하면 오히려 언어를 왜곡하게 된다고 보았지.

비트겐슈타인이 말하는 문법이란 결국 언어의 사용과 그 사용을 지배하는 규칙이라고 볼 수 있어.

그래서 '사이에 위치한다.' 와 같은 하나의 단어도 고정된 하나의 의미가 있는 것이 아니라,

그 단어가 사용되는 맥락과 그 맥락에서 적용되는 문법에 따라 그 의미가 규정된다고 말했지.

철학적 탐구

비트겐슈타인은 이처럼 새로운 사유를 통해 언어가 다양한 삶의 현장이 가지고 있는 그 각각의 맥락 속에서 그만큼의 다양한 문법들에 의해 규제를 받는 것이라고 보았어.

비트겐슈타인의 이와 같은 생각의 전환은 그의 후기 철학을 대표하는 《철학적 탐구》의 밑그림에 해당하는 생각들을 잘 보여 주고 있어.

비트겐슈타인은 스스로 《논리철학논고》에서 자신이 생각했던 바를 극복하면서 《철학적 탐구》를 만들었던 거야.

제8장-

파리통에서 빠져나오기

《철학적 탐구》는 비트겐슈타인이 살아 있을 때
출판된 책이 아니라고 했지?

내가 죽고 나서
제자들이 엮은
책이지.

비트겐슈타인은 《논리철학논고》 이후에 달라진 자신의 철학을
책으로 내고 싶었어.

램지 때처럼
당할 순 없어!

《철학적 탐구》를 출판하기가 어려웠던 것은 그가 자신의
글에 만족하지 못하고 계속 수정하고 보완하는 작업을 했기
때문이야.

죽기 전에 완성할 수
있을까?

그러므로 지금 우리가 읽는 이 책은
어떤 의미에선 미완성 작품이라고 볼 수 있어.

이런! 아직
못 끝냈는데!

철학적 탐구

하지만 오랜 세월 동안 책을 다듬었다고 해서 책의 체계가 더욱 잘 잡히고, 또한 독자들이 읽기 쉽게 정리되었다고 생각하지는 마.

여전히 이 책은 어려워.

왜냐하면 《철학적 탐구》는 어떤 정해진 순서나 주제들의 분류에 따라 쓴 책이 아니고, 비트겐슈타인의 생각이 나오는 그대로의 자연적인 흐름에 따라 쓰인 책이기 때문에 매우 까다롭고 힘든 책이거든.

그렇다면 이렇게 까다로운 책에서 비트겐슈타인이 다루고자 했던 주제는 무엇일까?

네 주제가 뭐야?

철학적 탐구

그건 사실 《논리철학논고》에서 다룬 주제와 크게 다르지 않아.

주제: 언어

논리 철학논고

응!

철학적 탐구

비트겐슈타인은 《철학적 탐구》에서도 여전히 언어에 대한 연구로 일관하고 있어.

날 봐!

주제: 언어

철학적 탐구

응!

그래서 비트겐슈타인은 만약에 《철학적 탐구》가 책으로 출판된다면 《논리철학논고》와 하나의 책으로 묶어서 해야 한다고 말했지.

철학적 탐구

둘을 하나로 만들었어야 해.

또한 《철학적 탐구》의 서문에서도 자신의 책은 《논리철학논고》를 읽은 독자들에게 의미가 있을 것이라고 말하기도 했어.

응?

논리 철학논고

우선 이 책부터 읽어 봐.

철학적 탐구

서문으로 보아 비트겐슈타인은 《논리철학논고》를 실패한 작업으로 생각하진 않고, 오히려 《철학적 탐구》를 이해하기 위한 예비 서적 같은 것으로 여겼던 것 같아.

날 만나기 전에 꼭 만나야 할 친구야.

철학적 탐구

논리 철학논고

안녕!

비트겐슈타인이 《철학적 탐구》에서 보여 준 철학관은 서양의 전통적인 철학관과는 매우 달라.

찾아야 해.

아무래도 저런 식은 아니란 생각이 들어.

진리란?

진리를 찾습니다.

서양의 전통적인 철학자들은 고정 불변의 영원한 진리를 찾으려고 했어.

예를 들어 고대 그리스의 철학자 플라톤이나

영원하고 변하지 않는 것, 미 그 자체, 정의 그 자체를 이해하는 것이 철학자의 임무이다.

프랑스 철학자 데카르트,

철학은 인간이 알 수 있는 모든 것들을 완전하게 인식하는 것이다.

영국의 철학자 흄과 같은 사람도 불변의 진리를 찾으려 했어.

철학은 다른 학문들을 위한 유일하고도 굳건한 토대이다.

이와 같은 전통적인 철학관은 비트겐슈타인의 스승인 프레게와 러셀은 물론이고 비트겐슈타인에게도 큰 영향을 주었어.

불변의 진리…?

프레게와 러셀, 그리고 《논리철학논고》를 쓸 때까지만 해도 비트겐슈타인 역시 학문에서의 확고한 토대를 마련하고자 했거든.

찾아야 해. 확고한 토대를.

어딨지?

찾아야 해.

그래서 그는 수학과 논리학을 철학의 기초로 삼으려고 했던 거야.

그래. 이 두 가지면 가능할 거야.

수학 논리학

프레게와 러셀 그리고 《논리철학논고》의 비트겐슈타인은 우리의 일상 언어를 의심스럽게 보았어.

그들은 우리의 일상 언어가 마치 안개와 같아서 진리의 세계를 가리고 있다고 생각했어.

그래서 그들은 우리의 일상 언어가 가진 오류들을 고치고 투명하고 명확한 이상적인 언어를 만들어

그것을 논리학의 확고하고도 명확한 토대 위에 세우고 싶었던 거야.

비트겐슈타인 역시 우리의 일상 언어가 철학을 곤경에 빠뜨리는 원천이라고 생각했지.

프레게나 러셀은 일상 언어가 불완전하다고 생각했고, 철학자는 완전한 언어를 발견하거나 만들어야 한다고 주장했던 반면에, 비트겐슈타인은 우리의 일상 언어는 그 자체로 질서정연하다고 생각했기 때문이야.

비트겐슈타인은 현재 우리가 사용하고 있는 일상 언어보다 더 좋은 언어를 만들 수 있을 것이라 생각하지도 않았어.

오히려 어떤 측면에선 일상 언어의 애매함이나 모호함조차도 불완전한 것은 아니라고 주장하기도 했지.

예를 들어 정치가들이 정략적으로 사용하는 애매한 말들이나, 시인이 시를 쓰기 위해 사용하는 모호한 언어들은 각각 그 필요성이 있기 때문에 사용된다고 생각했거든.

비트겐슈타인은 프레게와 러셀이 만들었던 정교한 인공 언어들은 그 자체로 언어와 세계에 대한 우리의 앎을 잘못된 방향으로 이끈다고 생각했어.

국민의, 국민에 의한, 국민을 위한 정부는 이 땅에서 영원히 사라지지 않을 것이다.

레미 드 구르몽**

해질 무렵 낙엽 모양은 쓸쓸하다.

에이브러햄 링컨*

*에이브러햄 링컨(Abraham Lincoln) - 미국 16대 대통령.   **레미 드 구르몽(Ramy de Gourmont) - 프랑스의 문학 평론가, 시인, 소설가.

또한 우리의 생각을 좁은 시야 안으로 가둔다고 믿었지.

이 안에 뭐가 있다는 거지?

설사 그 인공 언어들이 합리적이라 할지라도 그것은 우리의 언어와는 아무런 상관이 없다고 주장하기도 했어.

뭐야, 저리 가!

왜냐하면 우리의 언어들이 가지고 있는 규칙들은

그러한 인공 언어의 체계들과 아주 다르고 더 복잡하며 다양하기 때문이라는 거야.

그래서 비트겐슈타인은 우리의 언어가 가지고 있는 규칙들이 무엇인지 알기 위해선

얼굴에 이것을 붙여!

우리의 언어 현상에서 어떤 단일한 공식을 찾으려 해선 안 된다고 했어.

뭐 하는 짓이죠?

헉!

그저 우리의 언어가 실제로 사용되는 상황에서 단어들이 어떻게 쓰이고 있는지 그 방식들을 관찰하고 조사해야 한다고 말했어.

하하하~

호호호~

그러니까 그의 주장은 무언가 심오한 어떤 것을 언어 현상의 배후에서 찾아내려고 하지 말고,

찾아야 해.

사람들이 언어를 어떻게 사용하고 있는지를 그저 바라보라는 것이지.

….

나아가 비트겐슈타인은 《철학적 탐구》에서 철학이 세계에 대한 진리를 제시해야 한다는 전통적인 견해를 부정했어.

우린 진리를 밝혀야 해.

진리

진리

난 그렇게 생각하지 않습니다.

오히려 그러한 전통적인 견해들을 강력하게 거부해야 한다고 주장했어.

무의미한 논쟁입니다.

예를 들어 철학자들은 '우리가 경험하는 시간의 본질은 물질적인가 정신적인가.' 라는 질문에 대한 답을 얻기 위해 수천 년 동안 골머리를 앓아 가며 논쟁을 했지.

시간의 본질은 무엇인가?

정신.

물질.

그런데 비트겐슈타인은 이와 같은 철학적 문제들을 전혀 중요하지 않은 것으로 취급했어.

뭐 하는 겁니까?

헉!

철학자들이 할 일은 그런 것이 아닙니다.

그는 이런 질문들이 무의미한 것임을 명백하게 보여 줌으로써 우리를 철학적 혼란으로부터 빠져나오게 하려고 애를 썼단다.

아자~

시간의 본질

진리란!?

그래서 비트겐슈타인은 자신의 철학적 임무를 다음과 같이 말했어.

철학의 임무는 파리에게 파리통에서 나오는 길을 보여 주는 것과 같다.

비트겐슈타인은 '시간의 본질은 물질적인가 정신적인가?'와 같이 형이상학적으로 보이는 질문들은 매우 무의미하며, 이것은 마치 파리가 파리통에 빠져 있는 것처럼, 사람들로 하여금 철학의 파리통에 빠지게 만든다고 생각했어.

파리통: 유리관을 구부려 파리가 들어갈 순 있으나 빠져나오진 못하게 만든 병으로, 파리를 잡기 위해 사용했던 유리병을 말한다.

비트겐슈타인은 철학의 파리통에 빠져 있는 철학자와 사람들에게 형이상학적 질문의 무의미함을 알려

철학의 파리통에서 그들을 빼내려고 애썼어.

그러면 철학의 파리통에 빠져 있는 철학자나 사람들은 더 이상 무의미한 질문으로 고민하지 않을 것이라 생각했어.

오랜 세월 철학자들을 고통스럽게 만들었던 철학적 질문들이 사라져 버릴 테니까 말이야.

그래서 비트겐슈타인은 철학적 문제들은 해결되어야 할 것이 아니라, 해소되어야 할 것이라고 보았어.

이 말은 역설적이게도 철학의 목적은 철학을 사라지게 만드는 것이라는 의미를 내포하고 있어.

이런 것을 보면, 비트겐슈타인은 매우 독특한 철학자가 아닐 수 없어.

흠!

그는 '철학을 없애기 위해서' 철학을 한 셈이 되니까 말이야.

내 손에 사라지게 될 거야.

철학

철학적 문제들을 사라지게 만들기 위해 철학을 한 철학자는 비트겐슈타인이 유일할 거야.

준비 됐지?

넵!

철학적 탐구

비트겐슈타인은 《철학적 탐구》를 통해 파리통에 빠진 우리들에게 어떻게 하면 그 파리통에서 빠져나갈 수 있는지를 보여 주려 했던 거야.

공격~

철학적 탐구

그 방법은 《논리철학논고》에서와 마찬가지로 언어 비판적 방법이었어.

언어

비판

그래서 《논리철학논고》와 《철학적 탐구》는 모두 같은 목적을 가지고 쓴 책이라고 할 수 있어.

논리 철학논고

주제: 언어

주제: 언어

철학적 탐구

두 책이 지향하는 궁극적인 목적은 바로 철학적 혼란을 해소하기 위하여 언어 비판이란 방법

언어 비판

철학적 탐구

즉 언어란 것을 꼼꼼히 잘 살펴봐야 함을 깨닫게 하는 일이었거든.

언어

파리통에서 빠져나가는 길을 알기 위해서는 파리통의 구조를 꼼꼼히 살펴봐야 하듯이

이 구멍은 뭐지?

철학적 문제는 곧 언어의 구조로 이루어져 있으므로 언어의 구조를 꼼꼼히 살펴봐야 한다는 거야.

꼭 밝혀 주마.

언어

따라서 《논리철학논고》에서 《철학적 탐구》로의 전환은 하나의 연속적인 흐름 위에서의 발전이라고 볼 수 있어.

비트겐슈타인의 철학적 흐름

단지 차이가 있다면 《논리철학논고》에서는 언어에 대하여 너무 경직된 생각을 했다면

어디 보자~

《철학적 탐구》의 비트겐슈타인은 언어를 좀 더 유연하게 보았다는 점일 거야.

야호~ 자유다!

《논리철학논고》에선 언어와 세계가 단일한 논리적 형식에 의해 연결되어 있으며 그 단일한 논리적 형식이 곧 세계의 형식이라고 보았다면

《철학적 탐구》에서는 그러한 단일한 논리적 형식이란 것은 없고

치워 버렷!

다양한 언어의 문법들이 다양한 세계의 상황들 속에서 사용된다는 것으로 바뀌었지.

과연 비트겐슈타인의 주장대로 우리가 언어를 꼼꼼하게 살펴본다고 해서

파리통에서 쉽게 빠져나올 수 있을까?

아우~ 힘들어!

파리가 파리통을 쉽게 빠져나오지 못하는 것은 파리가 파리통이 어떻게 만들어져 있는지를 보는 것이 쉽지 않기 때문일 거야.

마찬가지로 우리가 철학적 문제들로부터 쉽게 빠져나오지 못하는 것은 우리가 언어를 객관적으로 살펴보는 일이 결코 쉽지 않기 때문이라고 생각할 수 있어.

비트겐슈타인도 이러한 사실을 잘 알고 있었지.

그래서 철학의 어려움에 대해서 그는 다음과 같이 말했어.

철학은 왜 그렇게 복잡한가? 결국 그것은 완전히 단순해야 한다.
철학은 우리가 불합리한 방식으로 엉키게 한,
우리의 사고에 있는 매듭을 푼다.
그러나 그렇게 하기 위해서 그것은 매듭만큼
복잡한 움직임을 만들어야 한다.
철학의 결과는 단순하지만, 거기에 도착하는 방법은 그럴 수 없다.

철학적 문제들은 사실 의미가 없는 것들이기에 복잡한 것도 아니야.

문제는 우리가 무의미한 철학적 문제들을 엉클어지게 이해하고 있기 때문이라는 거지.

복잡하지 않고 단순하게.

즉 파리통에 빠져 있는 파리가 파리통을 벗어나지 못하는 것은 파리통이 너무 복잡한 미로 같아서가 아니라

여기가 어디지?

단순한 길을 복잡하게 엉클어트리는 파리의 움직임 때문이라는 거야.

그래서 비트겐슈타인은 파리에게 탈출하는 길을 보여 주기 위해서는 파리통으로 들어가는 파리의 움직임 모두를 관찰하고 조사해야 한다고 했어.

그러자면 그 모든 움직임에서 뒤틀려진 오류들을 꼼꼼히 정리해 놓아야 해.

그런데 더 큰 문제점은 파리가 파리통에 빠지는 그 엉클어진 움직임들 역시 단순하지 않다는 거야.

수많은 파리들이, 또한 수많은 방식으로 파리통에 빠져.

그래서 우리가 관찰하고 조사하여 정리해 놓아야 할 경우들도 무수히 많아.

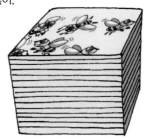

그래서 비트겐슈타인은 '철학의 결과는 단순하지만

거기에 도착하는 방법은 그럴 수 없다.' 라고 말한 거야.

그러면 우리가 언어의 혼란 속으로 빠지게 되는 무수한 예들 중에서 한 가지를 살펴보기로 할까?

예를 들어 이런 체스 판이 우리의 눈앞에 놓여 있다고 해 보자.

이 체스 판은 복합적이야.

만약에 한 친구가 너희에게 다음과 같이 말했다면

너희는 고개를 끄덕일 거야.

그래. 이 체스 판은 복합적이야.

하지만 이렇게 바로 수긍해 버리면, 자칫 너희는 나중에 의견 차이로 인해 서로 싸우게 될지도 몰라.

사기꾼! 날 속였어.

아니, 내가 뭘?

그리고 '복합적이다.'란 말의 의미를 두고도 논쟁이 붙을 수 있어.

복합적인 이유는….

그래. 그 이유는….

왜냐하면 '복합적이다.'란 단어를 말할 때, 너희는 각자 다른 생각을 하고 있을 수 있기 때문이야.

이 체스 판은 열여덟 개의 하얀 정사각형과 열여덟 개의 검은 정사각형이 서로 섞여 있기 때문에 복합적이야.

이 체스 판은 검정색과 하얀색 그리고 사각형들로 구성되어 있기 때문에 복합적이야.

('검정색 정사각형', '하얀색 정사각형'의 복합성)

('검정색', '하얀색', '정사각형'의 복합성)

이와는 반대로 어떤 사람이 다음과 같은 그림을 보고 '이 의자는 단순하다.'고 말했다고 해 보자.
어떤 사람은 이 의자가 다리가 없이 하나의 나무로 되어 있는 것을 보고 단순하다고 말할 수도 있고,
또 어떤 사람은 나무에 사용한 재질이나 색을 보고 의자가 단순하다고 이해할 수도 있을 거야.

반대로 어떤 사람은 이 의자의 디자인의 사조나 그 철학적 배경을 생각하여 오히려 복잡하다고 말할지도 몰라.

이처럼 하나의 단어는 어떠한 맥락에서 쓰였는가에 따라서 무수한 의미들을 가지며 각각의 맥락 속에서 다르게 사용될 수 있어.

이처럼 '복합적이다.'라거나 '단순하다.'라는 단어들에서도 많은 경우의 수들이 있고

의사소통을 할 때 먼저 말하는 사람과 듣는 사람 사이에 확인해야 할 것들이 있다는 것을 알 수 있지.

특정 단어를 무슨 맥락에서 사용하고 있는가를 확인해야 해.

철학적 탐구

앞에서 든 예는 우리가 언어를 사용할 때 빠지게 되는 혼란의 극히 일부분일 뿐이야.

우리의 눈 바로 앞에서 체스 판을 보고 있으면서도 '복합적이다.' 라는 말이 얼마나 다양한 혼란들을 만들어 내는가를 안다면

그 체스 판은 복합적이다.

그, 그래 나도 그렇게 생각해.

더 심오한 뜻을 가진 명제들, 예를 들어서 '윤리적 감정과 미학적 질서는 복합적인 관계를 맺고 있다.' 와 같은 철학적 명제에서 사용되는 '복합적인' 이라는 단어가 얼마나 우리를 혼란 속으로 빠뜨리게 될지는 말 안 해도 잘 알겠지?

아이고 머리야~

윤리적 감정과 미학적 질서는 복합적인 관계를 맺고 있다.

문법

으희!

으...

어떤 철학자가 '윤리적 감정과 미학적 질서는 서로 복합적인 관계를 맺고 있다.' 라는 명제를 생각한다고 할 때

윤리적 감정과 미학적 질서는 복합적인 관계를 맺고 있다.

난 철학자야. 이해할 수 있어.

'복합적인' 이란 단어 하나만을 이해하는 데도 사고가 수없이 엉클어지는 과정을 겪는다고 할 수 있어.

복합 감정 윤리적 미학적 복합

으~ 머리에 쥐 난다~

즉, 단어 하나만을 가지고도

으아악!

홍

그 철학자는 언어라는 파리통으로 빠져 버리게 되는 거야.

여, 여기가 어디지?

비트겐슈타인은 우리가 언어를 사용하면서 혼란에 빠지는 또 다른 이유로 '일반성에 대한 갈망'을 들었어.

비트겐슈타인은 사람들이 가지고 있는 '일반성에 대한 갈망'이 철학적인 혼동을 만들어 낸 주범 중의 하나라고 보았어.

비트겐슈타인의 말을 들어 볼까?

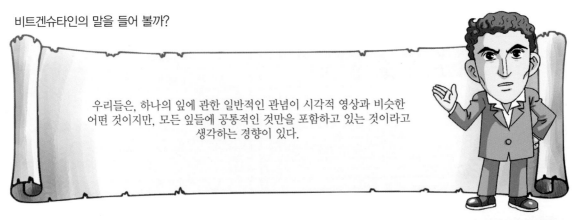

우리들은, 하나의 잎에 관한 일반적인 관념이 시각적 영상과 비슷한 어떤 것이지만, 모든 잎들에 공통적인 것만을 포함하고 있는 것이라고 생각하는 경향이 있다.

좋아, 쉽게 생각하기 위해 예를 들어 주지.

우리가 외국인에게 '잎'이란 한국어 단어를 가르치고 있다고 해 보자.

나뭇잎 아시죠? 나뭇잎.

예쓰.

그렇다면 우선 나뭇잎 그림을 하나 그린 후에 그 밑에 '잎'이라고 한글로 쓸 거야.

잎

그리고 그 그림과 '잎'이라는 글자를 번갈아 가리키면서, 그림이 한국어로 '잎'이라고 쓰며 '잎'이라고 발음한다는 것을 가르칠 거야.

이걸 나뭇잎이라고 합니다.

잎

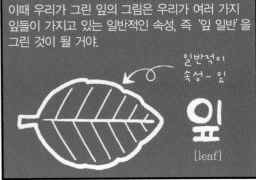

이때 우리가 그린 잎의 그림은 우리가 여러 가지 잎들이 가지고 있는 일반적인 속성, 즉 '잎 일반'을 그린 것이 될 거야.

일반적인 속성 ─ 잎

잎

[leaf]

이것은 우리 주위에 무수한 종류의 잎들이 있지만

잎들을 하나로 묶을 수 있는 공통적인 잎이 존재한다는 생각의 경향을 보여 주는 거야.

물론 어떤 사람들은 '잎'이란 단어를 가르치기 위하여 여러 가지 종류의 잎들을 실제로 보여 주면서 이것들이 바로 '잎'이라고 가르쳐 줄 수도 있어.

이것이 바로 잎이야.

아하!

하지만 이 경우에도 보여 준 여러 가지 잎들의 어떠한 일반적인 상(像), 즉 잎 일반의 어떤 그림을 그 외국인의 머릿속에 집어넣으려고 하고 있는 것이나 마찬가지야.

이리 와 봐. 머리에 넣어 줄게.

으힉!

그러면 이러한 일반성에 대한 갈망은 왜 우리를 혼란 속으로 빠뜨리게 되는 것일까?

비트겐슈타인의 말을 들어 보자.

일반 용어의 의미를 명료하게 만들기 위해서 그 용어를 적용한 모든 사례들 속에 있는 공통적인 요소를 발견해야만 한다는 관념은 올바른 철학적인 탐구를 방해한다. 왜냐하면 그러한 관념은 어떠한 결과도 만들 수 없는 곳으로 인도할 뿐만 아니라, 일반 용어의 사용법을 이해하도록 도와 줄 수 있는 구체적인 사례들을 철학자들로 하여금 부적절한 것으로서 배제하게끔 만들기 때문이다.

이와 같은 사람들의 '일반성에 대한 갈망'을 치료하기 위해서 비트겐슈타인은 개별적인 사례들을 주의 깊게 연구하는 방법을 택했어.

그리고 개별적인 사례들을 일반 용어 아래 포함시키거나, 그러한 사례들이 공통적인 어떤 것을 가져야만 한다는 가정을 해서는 안 된다고 했지

비트겐슈타인은 이에 대해 다음과 같이 말했어.

만약에 우리들이 '희구함', '생각함', '이해함', '의미함' 등과 같은 낱말들의 문법을 연구한다면, 우리들은 희구함, 생각함 등에 관한 다양한 사례들을 기술했을 때 불만족스럽게 생각하지 않을 것이다.

만약에 어떤 사람이 "그래, 그러한 경우들은 사람들이 〈희구함〉이라고 부를 수 있는 모든 것이 아니야."라고 말한다면, 우리들은 "물론 모든 것은 아니지. 그러나 당신도 당신이 좋아한다면 좀 더 복잡한 사례들을 구성할 수 있다."라고 대답할 것이다.

비트겐슈타인은 올바른 철학을 하기 위해서 우리는 설명이 아니라 기술을 해야 한다고 주장했어.

explanation이 아니라 description을 해야 해.

즉 어떤 일반성을 발견하기 위해서 사례들의 뒤에 있지도 않은 배후를 찾는다거나

뒤를 캐보자.

언어 가A

회구함

새로운 어떤 지식 같은 것을 추가해야 한다는 강박 관념을 버려야 한다는 말이지.

버려 버럿!

욱!

강박 관념

오로지 관찰하고 조사하면서 눈에 보이는 그대로 기술하면 된다는 거야.

《철학적 탐구》를 읽어 나가는 것은, 우리가 언어를 사용하는 방식을 천천히 뜯어 보고, 그 양상을 기술해 놓은 어느 성실한 관찰자의 노트를 훔쳐보는 일과 같아.

철학적 탐구

하지만 아주 사소한 것들까지도 늘어놓으면서 끊임없이 이런 저런 사례들을 살펴보고 있는 소심한 철학자는, 사실 자신의 말대로 '언어라는 수단을 통해 우리의 지성이 걸려 있는 마법에 대항하는 전투'를 벌이고 있는 전사라고 볼 수 있단다.

제9장

언어는 게임이다

《논리철학논고》의 핵심적인 주장을 잘 보여 주는 말이 '그림 이론' 이었다면

《철학적 탐구》의 핵심적인 주장을 잘 보여 주는 말은 '언어 게임 이론' 일 거야.

물론 비트겐슈타인이 《논리철학논고》에서 '그림 이론' 이란 말을 직접 쓰지 않았듯이

내가 한 말이 아니야.

《철학적 탐구》에서도 비트겐슈타인은 '언어 게임 이론' 이라는 말을 직접 쓰진 않았어.

아니라고 했잖아.

비트겐슈타인은 철학이 이론을 만들어 내는 것이 아니라,

하나의 활동이라는 생각을 평생 동안 일관되게 유지해 왔기 때문이야.

철학은 활동이야.

그러므로 '언어 게임 이론' 이란 용어를 사용하는 것은 그의 본래 의도에서 벗어나는 것이야.

내가 말하지 않았대도.

하지만 《논리철학논고》에서 명제를 그림에 비유했듯이, 《철학적 탐구》에서 언어를 게임에 자주 비유하고 있기 때문에

힉!

언어를 게임에 자주 비유하셨잖아요.

비트겐슈타인이 언어를 하나의 게임과 같은 것으로 생각했다는 것은 분명한 사실이야.

언어의 의미는 실제로 우리가 언어 게임에 참여하여 직접 그 언어 게임을 수행할 때 비로소 생겨난다.

비트겐슈타인은 《논리철학논고》의 문제점을 발견하고 난 뒤에

내 생각이 틀렸어.

한동안 언어를 숫자 계산이나 체스와 같은 게임들에 많이 비유했어.

비트겐슈타인은 왜 언어를 게임에 비유하기 시작한 것일까?

우리는 앞에서 비트겐슈타인이 《논리철학논고》의 '그림 이론' 의 입장을 수정하면서

수술을 해야겠어!

그가 언어를 규칙의 적용을 받는 문법 체계와 같은 것으로 생각했다는 것을 배웠어.

그런데 한번 생각해 봐.

게임이란 것도 사실은 규칙을 가지고 하는 놀이잖아?

규칙이 없는 게임이란 생각할 수가 없거든.

예를 들어 아주 간단한 '가위 바위 보' 게임을 생각해 보자.

가위, 바위, 보.

'가위 바위 보' 게임은 두 사람이 '가위', '바위', '보' 중에서 반드시 한 가지를 골라야 한다는 규칙이 있어.

보.   가위.   바위.

두 사람은 그렇게 고른 것을 동시에 내야 하지.

내가 이겼네!

또한 바위는 가위를 이기고

보는 바위에 이기며, 가위는 보에 이긴다는 규칙이 있고

두 사람이 같은 것을 냈을 때는 무승부라는 규칙이 있어.

비트겐슈타인은 언어도 역시 이러한 규칙들을 가지고 사람들이 사용하는 하나의 게임과 같은 것은 아닐까? 하고 생각했던 거야.

규칙   언어 사A   규칙

가위, 바위, 보

비트겐슈타인의 말을 들어 보자.

나는 앞으로 반복해서 여러분의 관심을
내가 언어 게임들이라고 부르는 것으로 환기시킬 것이다.
언어 게임들은 우리가 사용하는 고도로 복잡화된 일상의
언어보다 단순한 기호들을 사용하는 방식들이다.
언어 게임들은 그것들과 더불어 어린아이가 단어들을
사용하기 시작하는 그러한 언어의 형태들이다.
언어 게임의 연구는 원초적 형태의 언어 또는 원초적 언어들의 연구이다.

비트겐슈타인은 《철학적 탐구》에서 독자들에게
여러 가지 언어 게임들을 상상해 보라고 요구해.

언어 게임

그런데 그 언어 게임들은 아주 복잡한 일상의 언어들보다
매우 단순한 방식으로 언어를 사용하는 장면들을 예로
들고 있어.

마치 아이가 단어를 배울 때 엄마와
함께하는 단어 배우기 게임 같은 것처럼
말이지.

따라해 봐.
사과.

따가.

그는 이러한 단순한 언어도 우리가
사용하는 복잡한 언어의 사용과 크게
다르지 않다고 보았어.

복잡한

단순한

아이가 배우면서 하는 게임도
완벽한 언어와 다를 게 없기
때문이었지.

따가.

아주 단순한 단어들을 사용하는
언어 게임이라도

단순한
단어

그 단순한 게임에 참여하는 사람들이 언어를 사용하여 완벽하게 세계를
이해하고 다른 사람들과 의사소통을 할 수 있으니까 말이야.

비트겐슈타인은 우리로 하여금 단순하지만 복잡한 언어 게임들을 상상하게 하면서

우리가 사용하는 언어의 모습을 잘 볼 수 있게 했던 거야.

그럼 《철학적 탐구》에서 보여 준 언어 게임을 하나 살펴볼까?

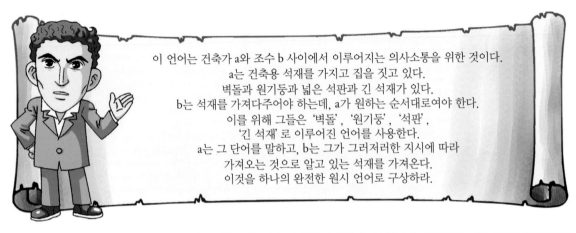

이 언어는 건축가 a와 조수 b 사이에서 이루어지는 의사소통을 위한 것이다.
a는 건축용 석재를 가지고 집을 짓고 있다.
벽돌과 원기둥과 넓은 석판과 긴 석재가 있다.
b는 석재를 가져다주어야 하는데, a가 원하는 순서대로여야 한다.
이를 위해 그들은 '벽돌', '원기둥', '석판',
'긴 석재'로 이루어진 언어를 사용한다.
a는 그 단어를 말하고, b는 그가 그러저러한 지시에 따라
가져오는 것으로 알고 있는 석재를 가져온다.
이것을 하나의 완전한 원시 언어로 구상하라.

자. 비트겐슈타인이 말한 언어 게임을 살펴볼까?

이 언어 게임은 a와 b 두 사람 사이에서 이루어지는 게임이야. a는 건축가이고 b는 조수이지.

그리고 이 두 사람이 사용하는 단어는 '벽돌', '원기둥', '석판', '긴 석재' 이렇게 네 가지뿐이야.

그리고 a가 이 네 가지 단어 중 하나를 외치면,

원기둥!

b는 그 단어가 가리키는 것을 가져와야 하는 규칙을 가지고 있어.

ok.

그러니까 이 언어 게임은 다음과 같은 식으로 이루어지는 게임이야.

〈게임 1〉
a : '벽돌!' 이라고 외침
b : '벽돌'을 가져옴.

벽돌!

네!

그리고 이 언어 게임은 새로운 규칙을 첨가함으로써 더 복잡한 게임을 구성할 수도 있어.

예를 들면 숫자라는 조건을 하나 더 첨가하면

벽돌 셋!

〈게임 2〉
a : '벽돌 셋!' 이라고 외침.

b : '벽돌'이 있는 곳으로 가서 1부터 3까지 벽돌을 센 다음

하나, 둘, 셋

세 개의 벽돌을 가져오는 것이지.

또한 여기에서 a가 '여기', '저기'라고 말하며 손가락으로 방향을 지시하는, 규칙을 첨가할 수도 있어.

여기, 저기.

그러면 다음과 같이 게임이 이루어질 거야.

벽돌 셋 저기!

!

〈게임 3〉
a : '벽돌 셋 저기!'
(손가락으로 특정한 방향을 지시하면서)

b : '벽돌'이 있는 곳으로 가서 1부터 3까지 벽돌을 센 다음

하나, 둘, 셋

세 개의 벽돌을 들고 a가 가리키는 방향으로 가져간다.

학, 학.

언어는 게임이다

165

자. 우리는 지금까지
세 개의 언어 게임을 구성해
봤어.

게임 1

게임 2

게임 3

우선 가장 단순한 게임에서 시작 규칙과 조건이 첨가되어 좀 더 복잡해진
게임까지를 살펴보았지.

게임 규칙과 조건의 첨가

게임 1   게임 2   게임 3

비트겐슈타인은 우리가 사용하는 언어가
모두 이런 방법으로 이루어진다고 생각했어.

즉 언어는 두 명 이상의 사람이 서로 정해 놓은 규칙에 따라
움직이는 하나의 게임과 같은 것이라고 생각한 거야.

두 명 이상의 사람이 정해진
규칙에 따라 게임을 한다.

언어
가A

또한 비트겐슈타인은 아무리 복잡한 일상 언어라도
〈게임 1〉에서 〈게임 2〉, 〈게임 3〉으로 점점 복잡해져
가듯이, 단순한 언어 게임에 새로운 조건들이 덧붙으면서
점점 더 복잡해진 것이라고 생각했어.

사람들이
외모를 꾸미듯이
언어도 복잡해
지는 거지.

위와 같은 생각은 비트겐슈타인이 초등학교 교사를
하면서 얻은 경험으로부터 깨달은 것일 거야.

언어는 단순하게
시작하여 점점
복잡해진다.

아이들이 모국어를 배울 때, 처음에는 아주 단순한
요소들만으로 언어를 배운다는 것을 알게 된 거지.
마치 건축가 a와 조수 b 사이에서 이루어지는
언어 게임과 같이 말이야.

벽돌!

네.

철학적 탐구

그러다가 점점 더 언어를 상황에 적용하게 되면서 점점 더 복잡한 규칙들을 익히고 그러면서 더 복잡한 언어 게임을 수행할 수 있게 된다는 것을 깨달은 거야.

비트겐슈타인은 원초적이고 단순한 언어들도 하나의 완벽한 언어 게임으로 작동하고 있으며

우리는 이러한 언어 게임을 통하여 의사소통을 하고 그렇게 언어 게임에 참여하는 활동들을 통하여 삶을 살아간다고 주장했어.

그러므로 비트겐슈타인이 말하고 있는 언어 게임이란, 우리가 살아가는 삶의 현장에서 사용하는 무수한 언어 사용 상황들을 총칭하고 있는 것임을 알 수 있단다.

즉 앞에서 예로 들었던 언어 게임이나 학교에서 선생님이 질문하고 학생이 답하는 언어 게임, 시장에서 손님과 가게 주인이 서로 흥정하는 언어 게임 등은 물론이고, 교통경찰이 교차로에서 하는 수신호에 따라 차들이 움직이는 게임, 신호등의 파란불이 켜지면 사람들이 건너고 빨간불이 켜지면 멈추는 게임과 같이 말이나 글이 아닌 기호들로 이루어지는 언어 게임들에 이르기까지 우리의 삶에서 모든 활동들은 이렇게 언어 게임들로 이루어져 있다는 말이지.

우리의 삶은 끊임없는 활동들로 이루어져 있고, 그 활동들은 언어 게임을 통해서 수행되고 있는 거야.

언어 게임

만약에 건축가와 그 조수 사이의 언어를 이해하고 싶다면, 그 두 사람이 참여하고 있는 언어 게임의 규칙들을 알아야 하고

벽돌!

언어 게임

규칙이 뭘까?

그 규칙들을 알기 위해선 그 두 사람의 구체적인 상황을 이해해야 한다는 말이야.

아하!

벽돌!

그러한 상황을 무시한 채 '벽돌!' 이란 말만 따로 떼어서

벽돌!

그 단어의 의미가 무엇인지 알아내려 한다는 건 쓸데없는 헛수고라는 거지.

그래서?

비트겐슈타인은 지금까지 철학자들은 그러한 구체적인 상황을 무시한 채

욱!

벽돌만 있으면 돼.

'벽돌' 이란 단어만 따로 떼어 내어 그 단어의 의미가 무엇인지를 찾고 있었다고 생각했어.

저건 아니지!

벽돌

그는 구체적인 상황을 무시한 채 단어만 따로 떼어서 집착하고 있는 경우로 아우구스티누스의 《고백록》을 들었어.

고백록

아우구스티누스

책 속에서 아우구스티누스는 자신이 어렸을 적 언어를 배우던 기억을 회상하고 있어.

철학적 탐구

책에는 '그들(어른들)은 어떤 대상을 거명하면서 동시에 그쪽으로 움직였으며, 나는 이를 보았고,

자네 집으로 가세.

그러세.

사람들이 어떤 대상을 가리키고자 할 때 내는 소리로 그것이 불린다는 사실을 파악했다.'고 써 있었지.

자네 사과를 좋아하나?

맛있겠군!

아우구스티누스가 한 말에 대해서 비트겐슈타인은 다음과 같이 말했어.

내가 생각할 때, 우리는 이런 말들에서 인간 언어의 본질에 대한 한 가지 특정한 그림을 얻는다. 즉 언어에 있는 개별 단어들은 대상에게 이름을 붙여 주며, 문장은 그런 이름들의 조합이라는 그림이다. 언어에 대한 이러한 그림 속에서 우리는 다음과 같은 관념의 뿌리를 발견한다. 즉 모든 단어가 의미를 갖고 있다. 의미는 단어와 상호 관련되어 있다. 단어가 대표하는 것은 대상이다.

비트겐슈타인이 아우구스티누스의 회상에서 집어내는 부분은

하나의 단어의 의미는 사물을 지시하고 있는 것이라는 아우구스티누스의 생각이야.

물론 단어가 이렇게 하나의 사물을 지시한다는 생각은 아우구스티누스뿐만이 아니라 수많은 철학자들이 해 온 것이고

심지어 비트겐슈타인도 《논리철학논고》에서 그렇게 생각했었지.

원자 명제가 원자 사실을 그리지.

《논리철학논고》에서 비트겐슈타인은 원자 명제를 이루는 단어들은 사물을 가리킨다고 주장했으니까 말이야.

사과 (apple)

그러나 《철학적 탐구》에서 비트겐슈타인은 생각이 달라졌어.

내 생각이 틀렸어.

더 이상 단어가 사물을 지시하는 의미를 가진다고 생각하지 않았거든.

가 버렷!

단어가 사물을 지시하는 일종의 '가리키고 집중하기' 식의 게임은 있을 수 있으나

사과!

그런 언어 게임을 한다고 하더라도 그 언어 게임은 수많은 언어 게임들 중 하나일 뿐이라는 거야.

예를 들어 아우구스티누스가 말하고 있는 그러한 '가리키고 집중하기'의 언어 게임의 규칙을 건축가 a와 조수 b 사이의 언어 게임과 비교해 볼까?

언어 게임

두 가지의 언어 게임에서 단어를 외치는 활동은 서로 같은 의미를 지니고 있지 않아.

언어 게임

만약 아우구스티누스 식의 '가리키고 집중하기' 방식을 건축가 a와 조수 b 사이에 적용한다면 어떻게 될까?

가리키고 집중하기

탁!

언어 게임

건축가 a는 가리키고 조수 b는 집중하기를 하게 되겠지.

원기둥!

단어가 바뀌어도 상황은 달라지지 않아.

벽돌!

이렇게 아우구스티누스 식으로 언어 게임을 수행한다면 a가 단어를 외치면

원기둥!

b는 그 사물을 뚫어지게 쳐다보는 식으로 이루어질 거야.

그러면 건축가 a는 집을 짓는 일을 전혀 할 수 없겠지?

힝~

그런데 지금까지 철학자들은 우리의 언어를 이렇게 사물을 지칭하는 단 하나의 의미로만 파악해 왔던 거야.

tree

mountain

가리키고 집중하기

언어 가A

cylinder

apple

brick

이와 같은 언어에 대한 편협한 시각은 실제 우리가 살아가면서 사용하는 언어의 풍부한 쓰임을 보지 못하게 했어.

가리키고 집중하기

언어 가A

기존의 철학자들이 주장하듯이 우리의 언어가 외부 사물을 지시하는 역할만을 한다고 생각해 보자.

가리키고 집중하기

언어 가A

그것은 마치 우리가 어떤 단어를 말할 때마다, 그 단어가 지시하는 사물에 이름표를 붙이는 매우 이상한 게임을 하고 있는 것이나 마찬가지일 거야.

벽돌!

원기둥!

사과!

상자!

벽돌

원기둥

사과

상자

철학적 탐구

그러니까 아우구스티누스나 기존의 철학자들이 주장하는 언어의 의미대로라면 우리는 다음과 같은 언어 게임을 하고 있는 셈이지.

a: '벽돌!'

b: 벽돌에 '벽돌'이란 이름표를 붙인다.

벽돌!

자, 우리는 정말 이렇게 언어를 사용하고 있을까?

원기둥!

원기둥!

언어의 의미가 사물을 지칭하는 것이라면 우리는 삶에서 이런저런 활동들을 하나도 할 수 없을 거야.

이래 가지고 집은 언제 짓지?

위 방법으로 어머니가 너희에게 사과를 먹고 싶은지, 오렌지를 먹고 싶은지를 물었다고 해 봐.

오렌지?

사과?

그러면 너희는 사과와 오렌지에다 '사과', '오렌지'라는 이름표를 붙이겠지.

사과

만약 남들이 그 모습을 보게 되면 매우 이상하게 생각할 거야.

사과!

사과

뭐 하는 거지?

비트겐슈타인의 말에 따르면 지금까지 우리의 철학자들은 언어가 이렇게 이루어진다고 생각했던 거야.

사과!

상자

사과

상자

철학자

《철학적 탐구》의 비트겐슈타인이 사용하는 핵심적 용어인 '언어 게임'은 다음과 같이 이해되어야 해.

언어란 마치 세상에 대한 복사물처럼 세상의 모습을 그대로 담아내는 그림과 같은 것도 아니고,

세상의 사물들을 가리키는 지시물도 아니다.

언어는 그러한 정적인 체계가 아니라 역동적인 것이며 언어 게임으로 세상에 우리가 참여하는 무수한 활동들을 가능하게 해 주는 다양한 양식들이다.

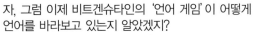

'언어 게임'이라는 말 자체가 언어가 곧 활동임을 암시한다.

자, 그럼 이제 비트겐슈타인의 '언어 게임'이 어떻게 언어를 바라보고 있는지 알았겠지?

언어란 《논리철학논고》에서 생각했던 것처럼 고정된 어떤 그림과 같은 것이 아니라

규칙을 가지고 있는 게임과 같은 것이며, 그것 자체가 역동적인 활동이야.

마치 장기판 위에 놓인 장기 알들의 의미가

그 장기 알 위에 써진 '包(포)', '馬(마)'라는 글자에 있는 것이 아니라는 거야.

'包'는 다른 장기 알을 수직 혹은 수평으로 뛰어넘어 갈 수 있고,

'馬'는 한 칸 수직으로 이동한 후 대각선으로 한 칸 이동할 수 있는 쓰임을 가지고 있으며,

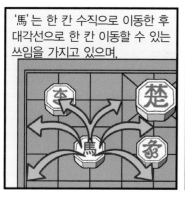

이 쓰임에 따라 실제로 장기를 두었을 때만 그 의미가 생겨나게 되지.

장군!

언어 역시 마찬가지로 삶의 여러 언어 게임에 참여하여 사용될 때 의미가 생겨나.

언어게임

그런데 주의할 점이 있어.

그것은 '언어 게임'을 언어의 본질이나 언어의 일반적인 본성과 같은 의미로 사용하지 않았다는 사실이야.

언어 게임 ≠ 언어의 일반적 본성

즉 모든 언어 게임들이 공유하고 있는 언어 게임의 본성이나 공통적인 속성 같은 것은 없다고 생각했어.

뻥

언어의 일반적 본성

이딴 건 없어.

오히려 비트겐슈타인은 우리에게 수많은 언어 게임들을 보여 주면서,

세상에는 수많은 공들이 있지.

그 각각의 언어 게임들이 어떤 점에서 비슷하고 또 어떤 점에서 차이가 있는지를 그저 살펴보게 했을 뿐이야.

하지만 둥근 공이라고 모두 똑같은 공은 아니야.

농구공과 축구공 모두 공이지만 농구는 손으로 축구는 발로 하지.

비트겐슈타인은 우리의 언어는 모든 언어들을 하나로 묶을 수 있는

공통적이고 일반적인 속성이나 본질을 하나도 가지고 있지 않다고 주장했어.

그저 수많은 언어 게임들이 있고

그들 각각은 모두 고유한 언어 게임들이라고 말했어.

만약에 이런저런 언어 게임들 사이에 어떤 관련성이 있다면

그것은 '가족 유사성' 정도만이 있다는 거야.

비트겐슈타인의 말을 들어 보자.

> 그들은 가족을 이루며 그 구성원들은 가족 유사성을 갖는다.
> 그들 중 어떤 사람들은 코가 같고, 다른 사람들은 눈썹이 같으며,
> 또 다른 사람들은 걸음걸이가 같다. 그리고 이러한 유사성은 중복된다.
> 일반 개념이 그것의 특수한 실례들의 공통적인 속성이라는 생각은
> 언어의 구조에 대한, 원시적이고 너무 단순한 또 다른 생각과 연결된다.

'가족 유사성' 이란, 비트겐슈타인이 '언어 게임' 들 사이에 공통적이고 일반적인 속성은 없고, 이러저러한 측면에서 유사점 정도를 공유하고 있다는 것을 설명하기 위해 만들어 낸 용어야.

예를 들어 가족 중에 완전히 똑같이 생긴 사람이 있을 수 있을까?

복제 인간이 아닌 이상 가족 중의 다른 한 사람과 완전히 똑같이 생길 수는 없겠지.

아니 너는!

그저 코는 아버지의 코를 닮고, 눈은 어머니를 닮았으며, 눈썹은 할아버지를 닮을 수 있을 뿐이야.

내 아들이구나.

아빠!

이렇게 언어 게임들 사이에도 부분적인 유사점들만을 공유하고 있을 뿐이라는 거야.

우린 참 많이 닮았죠.

그럼!

테니스와 탁구 두 게임을 예로 들면 두 게임은 어떤 의미에서 가족 유사성을 지니고 있다고 할 수 있어.

난 탁구!

난 테니스!

선이 그어진 사각형의 라인 안에서 경기가 이루어지며 가운데엔 네트가 있어.

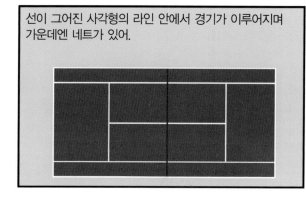

네트를 기준으로 양쪽에서 서로 공을 넘기며 경기가 진행되는데

받아랏!

어림 없지.

두 경기 모두 한쪽에서 서브를 넣으면 다른 쪽에서 그 서브를 받으면서 경기가 이루어져.

점수를 내는 방식도 비슷해서 상대방의 공이 선 밖으로 나가거나 네트에 걸리게 하면 점수를 얻어 내거든.

이런 경우 내가 점수를 얻게 되지.

그러나 테니스와 탁구는 사용하는 공과 라켓이 상당히 달라.

경기장의 규모도 차이가 많이 나며

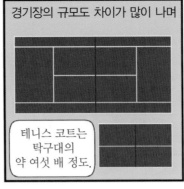

테니스 코트는 탁구대의 약 여섯 배 정도.

1세트를 따내는 점수도 차이가 있고 1포인트당 배당되는 점수도 다르지.

그러므로 테니스와 탁구는 서로 비슷한 점이 많지만, 두 경기가 서로 똑같진 않아.

테니스와 탁구의 이러한 관계가 바로 가족 유사성의 관계와 같은 거야.

가족 유사성

철학적 탐구

그리고 언어 게임들은 이와 같은 가족 유사성들을 지니고 있어.

예를 들어, 법정에서 이루어지는 언어 게임과 토론장에서 이루어지는 언어 게임은 서로 가족 유사성을 지니고 있어.

법정   가족 유사성   토론장

법정에선 피고인 측과 원고인 측으로 나뉘어 서로의 주장을 펼치고 그 주장에 대한 근거를 대지.

원고 측 말하세요.

원고 측   피고 측

또한 피고인 측의 변호사와 원고인 측의 검사는 서로 상대방에게 질문을 던져 자기 편에 유리한 논거들을 구성하려고 해.

알리바이를 대세요.

펙
질문

토론장에서도 비슷하게 찬성하는 측과 반대하는 측으로 나뉘어 서로의 주장을 펼치고 그 주장에 대한 근거를 대지.

안건: 인터넷 실명제

반대 측   찬성 측

언어 7A

철학적 탐구

또한 찬성 측이 반대 측에, 반대 측이 찬성 측에 질문을 하여

찬성하는 이유가 뭡니까?

그러는 당신들은 반대하는 이유가 뭡니까?

반대 측

찬성 측

상대편의 주장을 공박하면서 논점을 자신들 쪽에 유리하게 이끌도록 노력해.

인터넷 실명제

구체적으로 알아볼까?

① 질문으로 확인하기 〈법정〉

〈법정〉

당신은 사건 당일 17시 30분부터 18시 30분까지 사건 현장 근처에 있었습니다.

맞습니까?

〈토론장〉

찬성 측 토론자께서는 인터넷 실명제가 실시되면 악성 댓글이 현저하게 줄어들 것이 틀림없다고 주장하셨습니다.

맞습니까?

반대 측

② 상대방의 질문을 방어하기

〈법정〉

그 현장 근처라곤 하지만 3킬로미터쯤 떨어진 거리였고, 당시에 피고는 친구와 있었습니다.

원고 측

〈토론장〉

인터넷 실명제가 악성 댓글 작성자들의 심리에 영향을 줄 수 있을 것이라고 말한 것이지, 현저하게 줄어들 것을 확신한 것은 아닙니다.

반대 측

'법정의 언어 게임'과 '토론장의 언어 게임'을 서로 비교해 보면

법정에서나 토론장에서 모두 두 편으로 나뉘어 서로 공격과 방어를 하고 있어.

공격과 방어는 주장과 근거 대기, 그리고 질문들로 이루어지고 있어.

법정엔 재판관이 있고

토론장엔 사회자가 있지.

다른 점이 있다면 재판관은 사회와 판결을 모두 수행하지만

잘 들었습니다.

그럼 판결 하겠습니다.

토론장에는 따로 승패를 결정하는 심사자가 있다는 것이야.

인터넷 실명제에 대한 찬성이 다수로….

위에서 살펴본 사례는 두 언어 게임에서 쓰이는 무수한 언어들 중에서 질문으로 확인하는 전략과 상대방의 질문에 방어하는 전략을 살펴본 거야.

두 언어 게임은 전혀 다른 상황에서 벌어지는 언어 게임이지만, 위에서 보았듯이 유사한 전략과 구조들 그리고 규칙들을 가지고 있어.

이제 비트겐슈타인이 말한 '언어 게임'에 대하여 이해할 수 있겠지?

유사점은 있지만 일반성은 없지.

그러면 지금까지 배운 언어 게임에 대해서 한번 정리해 볼까?

• 비트겐슈타인은
언어를 언어 게임이라는
용어를 사용해서 설명한다.

• 언어의 의미는 실제로 우리가
언어 게임에 참여하여 직접
그 언어 게임을 수행할 때
비로소 생겨난다.

벽돌!

네!

• '언어 게임' 이란 용어는 언어의
일반적 특성이나 본질을 설명하기
위한 것이 아니다.
언어를 정의할 수 있는 일반적 특성이나
본질 같은 것은 없기 때문이다.

• 언어 게임들은 그저 '가족 유사성'
정도를 공유하고 있을 뿐이다.

뻥

언어의
일반적
본성

이딴 건
없어!

• 철학이 혼란에 빠지는 가장 큰 원인 중의
하나는 '일반성에 대한 갈망' 이다.
언어의 '가족 유사성' 은 언어에 '일반성' 이란
전혀 없다는 주장을 뒷받침해 주는
중요한 사실이다.

제10장

규칙을 따른다는 것은?

앞 장에서 우리는 비트겐슈타인의 '언어 게임'에 대해 자세히 살펴보았어.

게임이란 말이지….

언어 게임

CBA

규칙(rule)에 의해 규정되는 활동이므로 '언어 게임' 역시 어떤 규칙에 의해 지배되는 활동이라고 볼 수 있어.

rule

비트겐슈타인은 《논리철학논고》에서도 언어의 규칙에 대한 이야기를 했어.

언어를 규정하는 규칙은 바로 논리학야.

논리학

언어를 규제하는 논리학의 규칙은 단일하고 고정된 것이었어.

3보 앞으로 좌향좌~

논리학

언어 가A

휙

그것은 우리가 임의대로 정하고 또한 수정할 수 있는 규칙이 아니라,

우향우 다음 3보 전진.

이미 그렇게 확고하게 정해져 있는 강제된 규칙이었지.

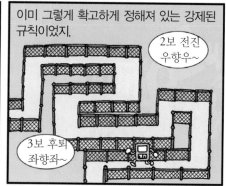

2보 전진 우향우~

3보 후퇴 좌향좌~

하지만 비트겐슈타인은 《철학적 탐구》에서 언어의 규칙을 다른 눈으로 보았어.

우향우. 좌향좌.

언어를 규칙이라는 틀 안에 가둔 것은 잘못된 일이야.

즉 '언어 게임'에서의 규칙은 사뭇 다른 모습을 가져.

이런 틀은 말이 안 돼!

힛!

그는 우리가 사용하는 언어에는 무수한 언어 게임들이 있고,

그 무수한 언어 게임들만큼 무수한 규칙들이 존재한다고 했거든.

또한 그 무수한 규칙들은 수정되고 변화될 수도 있다고 했어.

규칙의 형태는 아주 다양해.

마치 배구 게임에서 예전엔 손 이외의 다른 신체 부위를 사용하여 공을 처리할 수 없었지만

최근엔 발로 공을 처리해도 괜찮은 것처럼 말이지.

으샤~

또한 규칙이 규제하지 못하는 부분들도 상당히 많아.

비트겐슈타인은 테니스의 예를 들면서 테니스 게임에서 공을 라켓으로 얼마나 높이 쳐야 하는지

또한 얼마나 세게 쳐야 하는지에 대한 규칙은 없다고 말해.

야구도 마찬가지지.

타자가 투수의 공을 얼마나 세게 쳐야 하는지

또 얼마나 높이 쳐야 하는지에 대한 규칙은 없거든.

이렇듯 규칙이란 것이 상황에 따라 변할 수도 있고,

공이 어디로 갔지?

게임에 따라 다르며 게임의 모든 것을 규제하지 못하고 드문드문 틈이 많은 것이라면,

빈틈이다!

규칙은 언어 게임에서 어떤 의미를 가질까?

《철학적 탐구》에서 비트겐슈타인은 이러한 규칙에 대한 논의에 상당히 많은 공을 들이고 있어

규칙을 살펴봐야 해!

그의 주된 의문은 우리가 언어 게임에서 규칙을 따를 줄 안다는 것은 무엇을 의미하는지에 대한 것이었어.

초록불이다!

깜빡 깜빡

비트겐슈타인은 수학에서 계산을 제대로 해내는 과정을 언어 게임에서 규칙을 따르는 하나의 예로 제시했어.

수학의 계산
⇩
언어게임

수학에서의 계산 행위를 일종의 언어 게임으로 본다면

수학의 계산
⇩
언어게임

계산을 할 때 사용되는 계산법(혹은 공식)을 그 게임의 규칙이라고 할 수 있을 거야.

수학 공식
⇩
게임의 규칙

그런데 그의 의문은 그 계산법을 단번에 파악해서 쓸 수 있을까? 하는 거였단다.

비트겐슈타인은 우리가 정확한 계산 공식을 가진다고 해서 계산 활동을 잘하는 것은 아니라고 말해.

맞다! 나에겐 공식이 있었지.

그러므로 규칙 자체를 단번에 파악하는 것은 그 자체로 규칙을 따르는 것이 무엇인지에 대한 설명은 될 수 없다고 말하지.

이상하네? 공식이 있는데도 답을 찾을 수가 없네.

비트겐슈타인은 우리가 수학 계산을 수행하기 위해선 정확한 계산 공식뿐만 아니라, 사용법 또한 잘 알아야 하지 않겠느냐고 반문했어.

당연하지.

공식만 있으면 뭐 하겠어, 적용 방법을 모르는데.

즉 규칙뿐만 아니라, 그 규칙이 실제로 어떻게 적용되는지를 알아야 우리가 언어 게임에서 제대로 규칙 따르기를 할 수 있다는 거지.

적용법

이것이 필요할 거야.

그러나 비트겐슈타인은 우리가 정확히 언제 그 적용법을 안다고 할 수 있는지는 알 수 없다고 말해.

우리가 언어 게임을 할 때 규칙의 적용법을 매순간 알고 있는지, 또한 정확히 언제부터 규칙의 적용법을 알게 되었는지를 꼬집어 말할 수 없다는 것이지.

이렇게 보면 규칙이란 무엇인지, 그리고 그 규칙을 따르는 것은 무엇인지는 생각보다 결코 쉽지 않은 문제라고 할 수 있어.

비트겐슈타인이 직접 들었던 규칙 따르기의 예를 한번 살펴볼까?

A와 B 두 사람이 하는 게임이고, B는 A에 의해 주어진 규칙에 따라 움직여야 해.

그리고 B에게 주어진 표는 다음과 같다고 해 보자.

B에게 주어진 〈표〉

a	b	c	d
→	←	↑	↓

A는 표 안에 있는 글자들로 이루어진 명령을 내리고, B는 그 글자에 해당하는 화살표를 찾아 따라 움직인다고 해 보자.

만약 A가 'aacaddd'라고 말했다면 B는 다음과 같이 움직일 거야.

또는 표를 B에게 줘서 A가 명령을 내릴 때마다 B가 그 표를 보고 움직일 수도 있을 거야.

B가 표에 익숙해지면 찾아서 보지 않고도 글자에 상응하는 화살표의 방향을 떠올릴 수도 있겠지.

더욱더 익숙해지면 글자에 상응하는 화살표를 머릿속에 떠올리지 않고서도 A의 명령을 따를 수 있을 테고 말이야.

만약 B가 A에 의해 규칙 표를 제공받지 못한다 해도 반복된 훈련에 잘 길들여졌다면, B는 A의 명령에 따라 잘 움직일 수도 있다고 비트겐슈타인은 말했어.

이렇게 보면, 언어 게임에서 규칙 자체는 어떤 의미를 가지고 있는지 애매해지고 말아.

규칙 그 자체가 정확히 무엇인지 몰라도, 심지어 규칙 자체를 애초부터 몰랐다고 하더라도,

위에서 본 것처럼 언어 게임이 가능할 수도 있으니까 말이야.

또한 규칙을 이해한다는 것은 규칙을 올바르게 적용할 줄 안다는 것을 의미한다고 하더라도 그 적용법을 매순간 인지하고 있는지, 혹은 언제부터 그 적용법을 비로소 알게 되었는지도 상당히 애매한 것이 될 수 있어.

비트겐슈타인은 읽기 연습을 하는 한 소년을 예로 들어 한 번 더 설명했어.

잭은 콩나무를 타고….

이 경우는 선생님의 지시에 잘 복종하는 것으로 보이나,

하늘 위로 올라갔습니다.

잘 읽었어요.

실제로는 복종하는 척하는 경우에 대한 것이야.

읽기는 왜 시키는 거야?

즉 규칙의 의미를 제대로 이해하지 않고도 기계적으로 규칙을 잘 따를 수 있다는 거지.

잭은 콩나무를 타고….

삐리~ 삐리~

그러나 그 소년이 틀리지 않고 글을 잘 읽어 낸다고 해서 그의 행동이 글을 정말로 잘 이해하고 읽은 것인지에 대한 기준이 될 순 없어.

좋아! 읽은 글의 내용이 뭐지?

난 읽을 뿐 분석하진 않는다. 삐리 삐리~

비트겐슈타인은 언어 게임에는 그 언어 게임에 사용되는 단어들의 사용 규칙이 있고

그 규칙들을 지키면서 그 단어를 사용할 때 우리는 서로 의사소통을 할 수 있게 된다고 했어.

하지만 비트겐슈타인은 그렇다고 단어의 의미가 그 규칙에 있는 것은 아니라고 주장해.

내가 규칙 때문에 존재하는 건 아니야.

소년이 읽기를 능숙하게 할 수 있게 된 것은 곧 하나의 읽기 기술을 터득한 것과 같아.

잭은 콩나무를 타고 하늘 위로 올라갔습니다.

마찬가지로 언어 게임에서도 어떤 단어를 이해한다는 것은 어떤 특별한 것이 아니라

다른 사람들과의 관계 속에서 언어 게임이라는 활동에 참여하여

그 게임을 실행하는 과정에서 터득하게 되는 일종의 테크닉이라는 거야.

결국, 우리가 하나의 단어를 이해하는 과정은 그 단어가 쓰이는 규칙을 암기하거나,

그 단어의 규칙이 어떻게 적용되는가를 알게 되어서라기보다는 그 단어가 사용되고 있는 언어 게임에 참여하여 그 언어 게임을 실행하는 과정에서 자연스럽게 단어의 의미와 사용법을 알게 된다는 거지.

이번에는 앞에서 배웠던 건축가 A와 조수 B의 언어 게임을 예로 들어 살펴볼까?

물론 건축가 A가 조수 B에게 먼저 규칙을 자세히 설명해 줄 수도 있을 거야.

먼저 건축가 A가 조수 B에게 규칙 설명서를 주었다고 가정하자.

규칙 설명서네. 받게.

규칙 설명서는 다음과 같아.

규칙

1. 내가 '벽돌' 이라고 외치면, 벽돌을 찾아서 나에게 가져온다.
2. 내가 '원기둥!' 이라고 외치면, 원기둥을 찾아서 나에게 가져온다.
3. (….)

조수 B는 이 규칙이 적힌 종이를 집에 가져가서 꼼꼼히 공부할 거야.

1. 내가 '벽돌' 이라고 외치면….

그리고 다음 날 현장에 와서 건축가가 뭐라고 외칠지 긴장하며 기다릴 거야.

규칙은 잘 숙지하고 있겠지?

넵!

건축가가 '벽돌!' 이라고 외치면, 조수는 '벽돌!' 이란 말과 관계된 규칙 1번을 머릿속에 떠올릴 거야.

벽돌!

1. 내가 '벽돌' 이라고 외치면, 벽돌을 찾아서 나에게 가져온다.

그런 후 규칙 1번의 의미를 해석하여 '벽돌'을 찾아 가져올 거야.

좋았어!

그리고 건축가가 '원기둥!' 이라고 외치면

원기둥!

이번에는 2번 규칙을 떠올리고 그 의미를 해석하여 원기둥을 찾아올 거야.

잘했어!

철학적 탐구

하지만 이러한 언어 게임은 전혀 현실적이지 않아.

오히려 다음과 같은 상황이 보다 현실적일 거야.

만약에 여러분이 어떤 건축가의 조수로 채용되었다고 가정해 보자.

여러분은 건축 현장에 곧바로 투입이 될 거야.

그럼 일을 시작해 볼까!

건축가는 친절한 규칙 설명서 같은 것은 애초에 주지 않고 바로 벽돌이라고 외칠 거야.

벽돌!

헉!

그렇다면 여러분은 그 단어가 어떤 규칙에 따라야 하는지를 모르기 때문에 그냥 멍청하게 서 있게 될까?

멍~

뭐 해? 벽돌 가져오라니깐.

아, 네!

조금만 눈치가 있어도 바로 벽돌을 찾아서 건축가에게 가져다 줄 거야.

좋았어!

물론 눈치가 없는 사람들도 있지.

?

그러나 몇 번 핀잔을 들으면, 그 다음부턴 재빨리 벽돌을 찾아오게 될 거야.

이게 바로 벽돌이야 알겠어?

그리고 같은 방식으로 건축가가 '원기둥!'이라고 외치면, '원기둥'과 관련된 규칙이 있건 없건 간에 원기둥을 찾아올 거야.

원기둥!

어때? 이것이 더 현실적이고 수긍이 가는 설명이 아니겠니?

그러므로 규칙은 규칙이 준수되어야 할 방법을 미리 규정한다고 볼 수 없는 거야.

아니야!

규칙

철학적 탐구

규칙

오히려 규칙과 그 규칙을 따르는 올바른 적용법과 규칙들이 적용되는 언어 현장,

이것이 필요해.

철학적 탐구

언어 현장

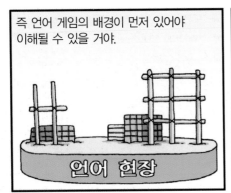

즉 언어 게임의 배경이 먼저 있어야 이해될 수 있을 거야.

언어 현장

마치 건축가의 조수로 채용된 사람이 건축 현장에 있었기 때문에 건축가가 외친 '벽돌!'이란 단어의 의미를 올바르게 이해할 수 있었듯이 말이야.

벽돌!

언어 현장

만약에 건축가와 조수가 식당에 가서 밥을 먹고 있는데, 갑자기 건축가가 '벽돌!'이라고 외쳤다고 해 보자.

벽돌!

그럼 조수는 엄청 어리둥절할 거야.

갑자기 벽돌은 왜?

왜냐하면 지금 건축가와 함께 있는 장소가 식당이기 때문이지.

벽돌!

그래서 어쩌라구요?

기사 식당

그러나 건축가가 '소금!'이라고 말했다면 조수는 바로 소금을 가져다주겠지.

소금!

여기요.

소금

반대로 건축가가 건축 현장에서 '소금!'이라고
외쳤다면 조수는 또 엄청 어리둥절할 거야.

소금!

비트겐슈타인이 단어의 의미는 그 규칙에 있는 것이 아니라,
언어 게임의 배경에 있다고 주장한 것은 바로 위와 같은
상황 때문이었어.

배경의
중요성을
알겠지?

언어 현장

'벽돌', '원기둥', '소금'과 같은 단어들은 그 단어 자체에
의미가 있는 것이 아니라,

벽돌

원
기
둥

소금

그 쓰임(혹은 사용)에 있거든. 쓰임이란 곧 규칙을
따르는 것이고 말이야.

소금

벽돌

쓰욱

그러나 그 단어의 의미가
규칙으로부터 나오는 것만은
아니란 거야.

소금

멈춰

'벽돌', '원기둥'이란 단어는
언어 게임의 현장이 건축 현장일 때에

벽돌

건축 현장

'소금'이란 단어는 언어 게임의
현장이 식당일 때 비로소 규칙이
적용되고 의미가
발생하거든.

소금

식 탕

비트겐슈타인은 규칙을 표지판과 같은 것으로 이해하라고 독자들을 설득해.

나는 이렇게 묻겠다.
규칙의 표현, 말하자면 표지판은 나의 행동과 무슨 관계가 있는가?
여기에 어떤 종류의 연관성이 있는가? 아마 이런 것이 아닐까?
나는 이 표지에 특정한 방식으로 반응하도록 훈련되었고,
이제 그렇게 반응한다.

우리가 표지판을 보고 따르듯이 규칙을 따른다는 말인데

아우 싸겠네!

비트겐슈타인은 우리는 이미 하나의 표지판을 보고 어떻게 행동하도록 훈련을 받아 왔다고 말하고 있어.

급하다 급해~

즉 하나의 표지판이 독립적으로 우리에게 어떤 의미를 부여하는 것이 아니라

그 표지판이 이미 우리 삶의 다양한 행동 속에 놓여 있기 때문에 의미를 가진다는 거지.

남자는 신사용으로~

인간의 삶에서 우리가 어떤 행동을 할 때, 이미 놓여 있는 다양한 행동 양식들을 우리는 관습이라고 해.

특히 의식주와 관혼상제가 이에 포함되는데, 도덕이나 법과 더불어 사회 규범에 속하지.

그래서 비트겐슈타인은 표지판도 인간의 관습의 결과물이라고 했어.

표지판   표지판

더 나아가 나는 표지판의 규칙적 사용, 즉 관습이 존재하는 한에서만 한 사람이 표지판을 따를 수 있다고 지적했단다.

관습이 존재하는 한에서 우리는 규칙 역시 따를 수가 있다고 비트겐슈타인은 말하고 있어.

그렇다면 규칙이란 이전에 정해진 규칙적인 사용의 양식, 즉 관습이 전제되었을 때만 의미가 있겠지.

규칙에 복종하는 것, 보고하는 것, 지시를 내리는 것, 체스 게임을 하는 것은 관습이다.

사실 우리는 세상에 어떤 원리나 원칙이 미리 있고

그 다음에 그 원리나 원칙에 따라 모든 일이 일어난다고 생각하는 버릇이 있어.

원리   원칙

그건 언어의 경우도 마찬가지야.

언어
가A

예를 들어 우리는 문법이 미리 있고, 그 문법에 따라 우리의 언어가 규정된다고 생각하기가 쉬워.

문법

꽝~

내가 먼저야.

언어

이와 같은 잘못된 착각은 특히 외국어를 배울 때 가장 쉽게 범하게 돼.

中國語
중국어   日本語
English
영어

우리가 외국어를 배운다고 할 때, 우리는 문법을 배우고 그 다음에 짧은 한 문장을 배워. 그런 후 그 문법이 적용된 예문을 배우지.

문법 ➡ 문장 ➡ 예문

그 다음으로 하나의 문단이나 대화 장면 등을 읽으며 다시 그 문법이 어떻게 언어를 규정하는지를 익히는 연습을 하게 돼.

그러나 모국어를 그런 식으로 배우는 사람은 아무도 없어.

여러분도 한국어를 처음 배울 때 외국어를 배우듯이 그렇게 학습하진 않았잖아?

그러게 이상하네?

물론 학교에 가서 국어 문법을 배우긴 하지만

내가 문법을 알려 주지.

학교

국어 문법을 배우기 전에도 한국어를 쓰는 데 전혀 어려움이 없었으니까 말이야.

너 문법을 알아?

아니, 모르는데.

문법?

정말, 내가 없어도 말을 잘하네!

한국어의 문법 규칙이 무엇인지 하나도 모르는 사람이라도 한국어를 잘 쓸 수 있지.

툭!

윽!

난 천재니깐 문법 따윈 필요없어.

그렇다고 그 사람이 천재라서 그런 것은 아니야.

착각 하지 마~

그 사람이 자라나면서 무수한 삶의 상황에서 언어 게임들을 실행하며 언어를 익혀 왔기 때문이야.

언어 게임

언어 게임

언어 게임

규칙은 이미 그 속에 관습적으로 내재되어 있기 때문에 언어 게임에 참여하며 살아온 사람이라면 누구나 자연스럽게 그 내재된 규칙들을 인지하지 않고도 활용할 수 있게 되는 거지.

병원

백화점

직장

학교

가정

공장

연구소

그러므로 문법의 차이는 곧 관습의 차이에서 나온다고 말할 수도 있어.

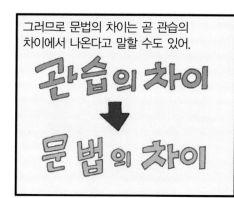

관습의 차이
↓
문법의 차이

예를 들어 한국 사람이 영어를 배울 때, 또 미국인이 한국어를 배울 때, 가장 헷갈리는 것 중의 하나가 부정 의문문이야.

한국 사람들은 '넌 사과를 좋아하지 않니?' 라고 물으면

넌 사과를 좋아하지 않니?

보통 이렇게 대답하겠지.

응. 좋아하지 않아.

아니. 좋아해.

그러나 영어에서 'Don't you like apple?' 이라고 물어보면

Don't you like apple?

이렇게 답하게 되지.

아니, 좋아하지 않아 (No, I don't).

응, 좋아해(Yes, I do).

한국어의 경우는 긍정과 부정이 서로 엇갈려 표현되지만

한국어

응(긍정) + 좋아하지 않아(부정)
아니(부정) + 좋아해.(긍정)

영어의 경우는 긍정과 부정이 일관되게 표현되어야 해.

영어

yes(긍정) + I do(긍정)
no(부정) + I don't(부정)

그러면 이러한 차이는 왜 생겨난 것일까?

한국어

영어

그건 아마도 한국 사람들의 경우 상대방이 부정의 형식으로 물었을 때, 그렇게 질문을 던진 상대방에 맞추어 답변을 하기 때문일 거야.

사과를 좋아하지 않니?

부정문

아니, 좋아해.

그래서 내가 사과를 좋아하는 것은 긍정의 형식으로 표현되어야 함에도 불구하고,

사과를 좋아하지 않니?

상대방이 부정의 형식으로 물어봤다면 일단 부정으로 답한 후 자신의 입장으로 말하는 거야.

아니(부정).

난 사과를 좋아해 (자신의 입장).

하지만 미국 사람들의 경우엔 철저히 자기 중심적이기 때문에 내가 사과를 좋아하는 사실 그 자체가 가장 중요해.

Don't you like apple?

사과가 좋으면 'yes', 싫으면 'no'라고 대답하는 거야.

No, I don't.

Yes, I do.

이러한 차이는 한국어와 영어의 문법이 처음 만들어질 때, 상대방을 더 고려하는 문법과 자신을 더 고려하는 문법으로 특성이 정해졌다고 하기보다는 한국과 미국이란 나라가 가진 문화적 관습의 차이에서 생긴 것이라고 보는 것이 옳을 거야.

문화적 관습의 차이

문법

한국은 자기 자신을 드러내기보다는 상대방을 더 배려하는 문화와 관습이 발달한 나라라면

배려

미국은 상대방을 배려하기보다는 자기 자신을 과감하게 표현하는 문화와 관습이 더 발달한 나라이기 때문에

내가 중요해!

두 나라의 문법 규칙도 각각 다르게 형성된 것이라고 볼 수 있지.

문법   문법

이처럼 규칙은 관습의 전제 없이 성립할 수 없어.

전제

관습

이 말은 규칙이란 집단적인 성격을 반드시 띨 수밖에 없다는 것을 의미하기도 해.

규칙

집단

그러니까 누군가가 자기만의 규칙을 만들어 놓을 수는 없다는 거야.

쓸모 없어!

헉!

예를 들어 어떤 사람이 농구를 할 때, 공을 손에 들고 뛰어다닐 수 있는 규칙을 만들었다고 해 봐.

그냥 들고 뛰면 돼!

다른 사람과 농구를 하면서 그 방법으로 한다면 그는 농구장에서 쫓겨나고 말 거야.

퇴장!

빽

윽!

그러면 이번엔 그가 몇몇 사람들을 설득하여 공을 땅에 튀기지 않고 손에 들고 뛰어다니며 농구를 하기로 했다고 해 보자.

한 게임 어때?

좋아!

몇몇 사람들과 그런 식으로 게임을 할 순 있겠지만 밖에서 그 모습을 보고 있는 사람들은 결코 그들의 게임을 농구라고 부르진 않을 거야.

저 아이들 뭐 하는 거지?

글쎄, 럭빈가?

물론 시대가 변하면서 농구의 규칙이 변화될 수도 있겠지.

예를 들어 지금은 허용되고 있는 덩크슛이 폐지될 수도 있고.

하프라인에서 던지면 5점을 주는 규칙이 생길 수도 있을 거야.

그러나 그렇게 변화되는 것도 덩크슛을 바라보는 사람들의 시선이 부정적으로 바뀌거나

하프라인에서 슛을 넣는 선수들의 기술이 발전하면서 이루어질 수 있는 것이지 아무렇게나 변하진 않지.

관습도 역시 고정되어 있는 것이 아니라 계속 변해.

사람들의 삶의 양식이 그 바뀌어 가는 삶의 환경에 맞추어 변해 가고 그 변화가 또 다른 규칙이 되어 그 전과는 다른 모습의 관습을 형성할 거야.

우리의 언어 역시 마찬가지로 없어지는 것이 있는가 하면 새롭게 탄생하는 언어도 있을 것이고

그에 따라 우리의 언어 사용도 바뀔 거야.

그렇게 바뀐 언어 사용은 우리에게 새로운 언어 규칙으로 인식될 거야.

엄친아*는 뭐고 열폭**은 뭐지?

정말 세대 차이 나는군요.

*엄친아 - '엄마 친구의 아들'의 줄임말로 완벽한 존재란 뜻이 내포되어 있다.
**열폭 - '열등감 폭발'의 준말.

그래서 비트겐슈타인은 언어를 하나의 오래된 도시로 비유하기도 했단다.

우리의 언어는 하나의 오래된 도시로서 간주될 수 있다.

'즉 골목길들과 광장들, 오래된 집들과 새 집들, 그리고 상이한 시기에 증축된 부분들을 가진 집들로 이루어진 하나의 미로, 그리고 이것을 둘러싼, 곧고 규칙적인 거리들과 획일적인 집들을 가진 다수의 새로운 변두리들.'

언어를 하나의 오래된 도시로 비유한 것은 마치 우리가 이미 오랫동안 존재하고 있었던 도시에서 태어나고

응~애

그 속에서 어린 시절을 보내며 성장하듯이

언어 역시 이미 오래전부터 존재해 오던 것으로 우리가 그 속에서 언어 게임들을 할 수 있는 하나의 품과 같은 것임을 설명하기 위해서일 거야.

언어

또한 그 오래된 도시는 역사를 가지고 있어서 그 내부에 작은 길과 공터, 그리고 오래된 집들과 새 집들이
서로 얽혀 있는데, 그것은 마치 오래전부터 이어져 오고 있는 우리의 관습과 같다는 것을 비유한 거지.

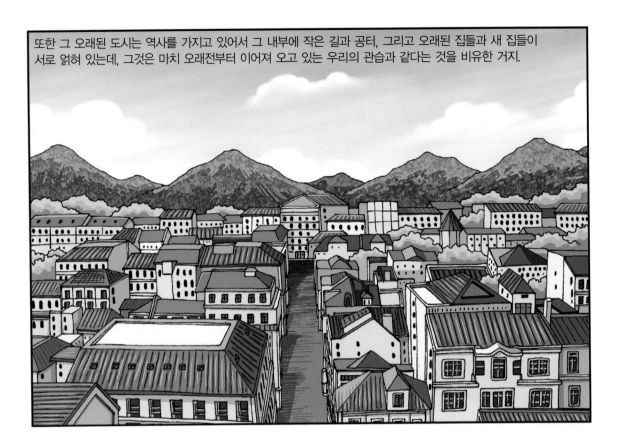

그리고 도시에 새로운 길과 건물이 생겨나듯이
우리의 언어도 새로운 규칙들과 새로운 형식의
언어 게임들이 생겨나게 되는데

그 새로운 형식의 언어 게임들과 규칙들은 오래된 관습의
경계에 변두리로서 생겨나면서

기존의 언어에 계속 덧붙여지는 양상을 띠게
된다는 것에 비유한 거야.

그리고 그렇게 오래된 도시가 시간이 흐르면서 계속 새롭고
다양한 모습들을 덧붙여 가는 것이 그 속에서 살아가는
인간들의 삶의 변화 때문이듯이

우리의 언어도 언어 게임에 직접 참여하고 있는 인간들이 삶의 변화를 직접 겪고 스스로 일구어 내면서 만들어 내는 것임을 말한 거야.

그러므로 비트겐슈타인은 우리의 언어를 하나의 고정된 실체로 생각해선 안 된다고 말해.

비트겐슈타인이 언어 게임이라는 개념을 사용한 것도 바로 우리가 그렇게 언어를 하나의 고정된 것으로 생각하지 않도록 하기 위해서였어.

나를 고정시킨다는 건 말도 안 돼!

언어 게임

규칙 역시 마찬가지로 확고하고 단일한 규칙이 있어서 그 규칙의 규제들을 확실히 알고 따르는 것이 아니라

어딜 가?

그냥 따라와~

삶의 양식들을 몸에 익히는 자연스러운 훈련을 통해 이루어지는 하나의 활동이라고 했어.

그냥 시키는 대로 하기만 하면 돼!

으쌰

그러므로 우리가 언어 게임의 규칙을 올바르게 따르기 위해선 삶의 순간순간들 속에서 접하게 되는 수많은 언어 게임들에 직접 적극적으로 참여해야 한다고 주장한 것이지.

저것은 생선이구나!

저것이 바로 사과구나!

제11장

사적 언어란 없다

우리는 앞에서 규칙에 관하여 살펴봤어.

우리는 어떤 언어 게임에 참여함으로써 규칙을 따를 수 있다고 했지?

규칙은 그 이전에 언어 게임이 전제되어야 비로소 의미를 가질 수 있으니까 말이야.

언어 게임(전제)

또한 언어 게임은 우리의 관습이 규정하는 것이므로, 규칙 역시 마음대로 바꿀 수 없다고 했어.

지금 빨간불이야. 횡단보도를 건너선 안 돼!

아니~

내가 규칙을 바꿨어.

규칙이란 다른 사람에게 알려지고, 동의를 받아야만 규칙으로서의 가치와 의미를 가지거든.

안 돼!

크윽!

그러므로 모든 언어 게임은 공적(公的)인 성격을 가진다는 것을 알 수 있지.

거 봐. 빨간불에 길을 건너선 안 된다니깐.

바꾸어 말하면 사적(私的)인 언어 게임은 불가능하다는 뜻이야.

네 마음대로 규칙을 바꾸면 어떻게 해!

피터 벡셀이란 소설가는 사적 언어의 불가능함을 소설로 표현하기도 했단다.

그가 쓴 《책상은 책상이다》라는 작품에는 한 중년 남성이 등장하는데

그는 어느 날 삶이 너무 무료하고 재미가 없어서

아우~

심심해.

한 가지 재밌는 생각을 했지.

그것은 모든 단어의 이름을 자기 마음대로 바꾸어 부르는 것이었어.

너희들 이름을 새로 지어 줄게.

그는 책상을 의자라고 부르고, 의자는 침대로, 침대는 꽃으로 부르면서 모든 사물의 이름을 자기 마음대로 지었어.

책상은 의자, 의자는 침대.

침대는 꽃이 좋겠어.

그는 이 놀이가 너무 재미있어서 그가 알고 있는 모든 사물들의 이름을 바꾸어 버렸단다.

의자

침대

꽃

그러나 그는 곧 불행해지고 말았어.

왜냐하면 그는 이제 다른 사람과 대화를 한마디도 할 수 없게 되어 버렸기 때문이야.

그는 이제 더 이상 그가 '책상'이라고 부르는 것의 본래의 이름을 잊어버렸고

사람들이 하는 말을 알아들을 수 없게 되어 버렸지.

그래서 그는 더 이상 그 누구와도 대화를 할 수 없었어.

이처럼 자기 자신만이 알고 있고 다른 사람은 알 수 없는 사적 언어는 다른 사람과 의사소통을 할 수 없기 때문에

언어로서 자격을 상실하게 되지.

비트겐슈타인은 피터 벡셀의 소설에 나오는 남자의 사적 언어는 언어가 아니라고 주장할 거야.

그런데 사적 언어들 중에서 우리가 일상적으로도 상당히 많이 사용하는 언어가 있단다. 바로 감정과 통증을 표현하는 언어들이지.

철학적 탐구

통증이나 감정은 느끼고 있는
당사자만이 알수 있는 감각이기
때문이거든.

얼마나
아픈 걸까?

예를 들어서 어떤 친구가 너희에게
배고픔을 말했다고 해 봐.

난 지금
배가 너무 고파.

?

그 친구가 배가 고픈지 아닌지를
알 수 있는 것은 그 친구의 말을
통해서야.

난 지금 배가
너무 고파!

그러나 그 친구가 느끼는 배고픔을 우리가
직접 확인할 수는 없어.

지금 뭐 하는
거야?

음…?

왜냐하면 배고픔은 그 배고픔을 느끼고 있는 사람만이
직접 느낄 수 있는 것이기 때문이지.

아무리 봐도
네가 얼마나
배가 고픈지
알 수가 없어.

당연하지.
네가
내 뱃속을
어떻게 알아?

어떤 사람도 배고픔과 같은 내적인
감각을 밖으로 보여 줄 수 없잖아?

속을 뒤집어
보여 줄 수도
없고.

또 다른 예로 사랑에 빠진
어떤 남자는

사랑하는 여자에게 자신이 느끼고 있는
사랑의 감정을 밖으로 꺼내어 직접
보여 줄 순 없어.

사랑
합니다.

좋아요.
그럼, 사랑을
보여 주세요.

물론 만화라면 가능하겠지만 말이야.

여기 제 사랑을
받아 주세요.

하~

하지만 우리는 서로 자신이 느끼는 감각이나 감정을 자연스럽게
표현하고 의사소통을 하지.

배고파~

사랑합니다.

따라와.
햄버거
사 줄게.

저도
사랑해요.

자, 그러면 이러한 사적 언어, 즉 본인만이 느낄 수 있는 감각이라든가 감정을 우리는 어떻게 다른 사람들에게 전달하고 전달받는 것일까?

비트겐슈타인은 다음과 같이 말해.

하나의 가능성은 이것이다.
즉 낱말들은 감각의 근원적인, 자연적인 표현과
결합되고, 그 자리를 대신한다는 것이다.
어린아이가 다쳐서 울부짖는다.

그리고 그때 어른들은 아이에게
말을 걸고, 그에게 외침들을
그리고 나중에는 문장들을 가르친다.
그들은 아이에게 새로운 고통 행동을
가르친다.

이건 무슨 말일까?

새로운 고통 행동을
가르친다.
무슨 말이지?

만약 어린아이가 넘어져서 다쳤다고 해 보자.

악!

꽈당

그때 어린아이는 통증을 느끼게 되고, 그 감각은 얼굴을 찡그리고 울음을 터트리는 식으로 표현될 거야.

힝-

많이
아파?

비트겐슈타인은 그러한 얼굴의 찡그림과 울음을 터트리는 것을 자연적인 표현이라고 말하고 있어.

울음은
자연스러운
표현이야.

철학적 탐구

왜냐하면 그러한 얼굴의 찡그림과 울음은 통증을 느끼는 사람이나 동물이 본능적으로 아픔을 표현하는 행위이기 때문이야.

막 태어난 어린아이는 언어를 모르지만 울음을 터트릴 줄은 알 듯이 말이야.

그러면 이 자연적인 표현은 어떻게 낱말과 결합될까?

그리고 나중엔 어떻게 문장들로 표현될 수 있는 것일까?

비트겐슈타인의 설명은 이래. 어린아이가 통증을 자연적인 표현인 얼굴 찡그림과 울음으로 표현하고 있을 때

어른들은 아이에게 '어머, 넘어졌네. 많이 아프겠구나.' 하고 말하겠지.

그때 어린아이는 '아프다'는 언어적 표현을 배우게 되고

그 표현을 똑같이 통증을 느끼는 상황에서 쓸 수 있게 된다는 거야.

비트겐슈타인은 얼굴의 찡그림, 울음을 자연적인 통증의 표현이라고 한다면

'아프다'와 같은 것은 언어적인 통증의 표현이라고 생각해.

찡그림이나 울음은 인간이라면 누구나 배우지 않고도 자연스럽게 할 수 있는 표현이지만

'아프다'와 같은 언어적 표현은 언어 게임을 통해 학습되는 표현이라는 거야.

언어 게임

비트겐슈타인은 사적 언어란 불가능하다고 생각해.

언어가 아니야.

그러나 앞에서 보았듯이 넘어져 다리가 아픈 통증은 그 본인만이 느낄 수 있지만

힝-

그 통증을 표현하는 얼굴의 찡그림과 울음 그리고 어른과의 언어 게임을 통해 학습하게 되는 '아프다'는 낱말 등은 공적이지.

찡그림   울음   아프다   공적

그리고 그러한 표현들이 사적인 감각이나 감정을 공적인 틀로 끌어오기 때문에

감각 감정

집단(공적인 틀)

우리는 그러한 사적 감정이나 사적 감각에 대하여 서로 의사소통을 할 수 있게 되는 거야.

아파~

그래 아프겠다!

비트겐슈타인의 말을 직접 들어 보자.

그러니까 나의 감각어들은

+감각 표현

언어 가A

나의 자연적인 감각 표현들과 결합되어 있는가?

비트겐슈타인은 이에 대해 '이 경우 나의 언어는 사적이지 않다. 다른 사람들이 그 언어를 나처럼 이해할 수 있을 것이다.'라고 말해.

그렇다면 만약 감각의 자연스러운 표현들이 없다면 어떻게 될까?

예를 들어 누군가가 태어날 때부터 이가 아픈데도 불구하고

전혀 그 통증을 표현하지 않고 지냈다면 어떻게 될까?

아픔? 그게 뭔데?

비트겐슈타인은 다음과 같이 말해.

만일 사람들이 자신의 고통을 표현하지 않는다면 어찌 될까?

'그러면 우리들은 어린아이에게 치통이라는 낱말의 사용을 가르칠 수 없을 것이다.'

아아~ 치통 몰라? 치통?

?

사적인 경험에 대한 사적 언어는 불가능하지.

사적인 경험은 일단 그 자연스러운 표현(찡그림, 신음) 등을 통해 공적인 틀로 들어오게 되고

아이고~

으~

슬픔

아픔

언어 게임을 통해 그 자연스러운 표현과 낱말, 문장을 결합시키는 법을 배우게 됨으로써 의사소통될 수 있는 거니까.

배고파~

사랑합니다.

따라와. 햄버거 사 줄게.

저도 사랑해요.

이처럼 사적 언어의 불가능함을 통해서 비트겐슈타인이 말하고자 했던 것은 언어의 공적인 성격이란다.

공적성격

언어

A

제12장

비트겐슈타인과 우리

우리는 지금까지 비트겐슈타인의 철학에 대해서 살펴보았어.

비트겐슈타인의 관심은 일관되게 '언어'에 관한 것이었어.

철학의 문제를 언어의 문제라고 보았던 비트겐슈타인은 철학은 '언어 비판적 활동'이어야 한다고 주장했거든.

그러한 비트겐슈타인의 철학 방법은 영국과 미국의 분석 철학에 커다란 영향을 주었단다.

영국과 미국의 분석 철학자들은 기존의 철학이 가졌던 관념적 성격에서 벗어나기 위해 언어를 분석하는 작업을 수행했어

언어를 잘못 사용했기 때문에 철학자들은 관념적으로 생각하게 되었다고 생각했기 때문이야.

그러나 비트겐슈타인은 다른 분석 철학자들과 큰 차이점이 있었어.

난 달라!

다른 분석 철학자들은 오류가 없는 이상적인 인공 언어를 고안하려고 했던 반면에

바꿔 주겠어.

비트겐슈타인은 그와 같은 인공적이고 이상적인 언어에 대해서 회의적이었거든.

별로 마음에 안 들어.

그 예로 러셀은 우리가 사용하는 일상적인 언어는 오류투성이기 때문에 모두 이상적인 인공 언어로 고쳐야 한다고 주장했어.

좋아, 아주 좋아!

...!

반면에 비트겐슈타인은 일상적인 언어는 삶의 양식이고 그 자체로 옳은 것이라고 생각했단다.

이래선 안 돼요.

힉!

비트겐슈타인은 오히려 러셀이 만들려고 했던 이상적인 인공 언어가 우리의 일상적인 언어의 사용법을 왜곡시키고

휙-

그것은 곧 우리의 삶의 양식을 왜곡되게 보는 결과를 낳고 만다고 비판했지.

인공 언어가 우리를 망치고 있다고요.

뭐라?

물론 《논리철학논고》에서는 이상적인 언어의 존재를 어느 정도 인정하기도 했어.

《논리철학논고》에서 언어는 세계의 그림이며 언어가 세계를 그림 그릴 수 있는 것은 언어와 세계가 공유하고 있는 논리적 형식 때문이라고 믿었거든.

'논리적 형식'은 모든 언어에 공통적으로 적용되는 고정된 진리 같은 것이었고

우리의 일상어는 그러한 '논리적 형식'을 가지고 있다고 비트겐슈타인은 생각했지.

그러나 《철학적 탐구》의 비트겐슈타인은 《논리철학논고》에서 가졌던 그런 입장을 스스로 거부했어.

《논리철학논고》에서 자신 역시 다른 철학자들이 범했던 오류를 저질렀다고 솔직히 인정했어.

날 버리다니!

미안해. 어쩔 수 없어.

왜 철학자들은 일상적인 언어를 불신하고

수상해.

이상적인 언어의 본질 같은 것을 찾으려 그렇게 노력했을까?

본질이 뭘까?

비트겐슈타인은 그것은 바로 철학자들이 '일반성을 향한 갈망'이란 질병을 가지고 있기 때문이라고 말했어.

찾았다.

인간은, 특히 그중에서도 철학자란 인간들은, 모든 개별적인 것들을 하나로 묶고 일반화하기를 좋아하기 때문이라고 보았던 거지.

다양한 잎들을 하나로 묶어 줘.

그리고 그렇게 하나로 묶고 일반화할 수 있는 '본성' 따위를 찾으려고 애를 쓴다고 했어.

그러나 《철학적 탐구》의 비트겐슈타인은 더 이상 그러한 것을 찾지 않아.

저리 가~

왜냐하면 비트겐슈타인이 보기에 언어의 본질 같은 것은 애초에 없기 때문이야.

받아.

비트겐슈타인이 보기에 지금까지 철학자들은 있지도 않은 것을 찾으려고 했던 셈이지.

뭐 하는 짓이지?

그래서 비트겐슈타인은 모든 철학적 문제들을 없애 버리려 했던 거야.

모두 치워 버려야 해!

왜냐하면 모든 개별적인 것들을 하나로 묶고 일반화하려는 철학적 사유는 역설적으로 세계와 언어에 대한 잘못된 이해를 만들어 내기 때문이야.

진리를 추구하는 철학이 오히려 세계에 대한 정확한 이해를 방해하고 우리를 파리통이라는 혼돈 속으로 빠뜨리는 주범이 되고 만 거지.

그렇다면 파리통에서 어떻게 빠져나와야 할까?

그 탈출 방법으로 비트겐슈타인이 우리에게 보여 준 것이 바로 '언어 게임' 이었어.

'언어 게임'은 언어를 어떤 본질을 지닌 고정된 개념으로 볼 것이 아니라 하나의 게임으로 볼 것을 주문해.

즉 언어를 활동으로 봐야 한다는 것을 강조하기 위한 말이었지.

앞에서 살펴본 건축가와 조수 이야기가 그렇고 아이가 언어를 배우는 과정이 그러하지.

이처럼 언어의 의미는 언어 게임을 벗어나선 생각할 수 없고

더 나아가 언어의 의미는 우리가 살아가면서 수행하게 되는 수많은 언어 게임에 참여할 때 발생한다고 그는 주장했지.

그래서 비트겐슈타인은 언어는 곧 활동이라고 말한 거야.

자, 어서 움직여들!

언어 게임 그 자체도 어떤 고정된 일반적인 개념이 아니야.

벽돌!

우리의 삶에는 무수한 언어 게임들이 있지.

그러면 그러한 수많은 언어 게임들 사이에는 어떤 공통적인 속성 같은 것이 있을까?

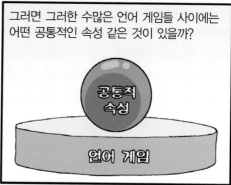

수많은 언어 게임들이 있지만 그 언어 게임들을 하나로 묶을 수 있는 단일한 속성 같은 것은 없어.

그저 언어 게임들 사이에는 이러저러한 측면에서 서로 겹치는 유사성이 있을 뿐이야.

'가족 유사성'을 통해서 비트겐슈타인이 우리에게 요구하는 것은 언어 게임들 사이에 있는 이러저러한 유사점들과 차이점들을 그저 바라보라는 것이었어.

억지로 '언어 게임이란 무엇인가?', '우리가 언어 게임이라고 부를 수 있는 것들의 속성은 무엇인가?'와 같은 알쏭달쏭한 질문들은 우리에게 오히려 실제로 벌어지고 있는 언어 게임의 본 모습을 보지 못하게 한다는 거지.

이와 마찬가지로 철학자들이나 생각하기를 좋아하는 사람들이 '진리란 무엇인가?', '존재를 존재로 만들어 주는 본질은 무엇인가?'와 같은 무책임한 질문들을 만들어 온 이유는

세상이 가진 다채로운 모습을 있는 그대로 보려 하지 않고

다채로운 색깔을 하나의 단순한 색깔로 환원시키려고 했기 때문이었다는 거야.

우선 좀 그저 바라봐!

그저 바라보라!

철학적 탐구

《철학적 탐구》에서 비트겐슈타인이 우리에게 요구하는 철학의 태도는 바로 이것이야.

어때? 이렇게 보면 철학이란 것이 별로 대단한 것은 아니지?

!

철학적 탐구

철학

비트겐슈타인에게 철학이란, 우리에게 세상을 이해하게 해 주고 세상에 대해 의사소통할 수 있게 해 주는 언어가 어떻게 쓰이고 있는지를 꼼꼼하게 살펴보고 탐구하는 하나의 활동일 뿐이었어.

이것이 바로 비트겐슈타인이 말하는 '철학적 탐구'야.

철학적 탐구

비트겐슈타인

《철학적 탐구》의 비트겐슈타인은 우리에게 풍성한 일상 언어의 의미를 되살려 주었어.

비트겐슈타인은 기존의 철학이 추구한 이상향인 변함없고 모든 것들에 내재한 보편적 진리라는 헛된 꿈을 버렸어.

그 대가로 풍성한 일상 언어의 세계를 되찾았지.

여러분이라면 시간이 지나도 변하지 않고 불에 타지도 않는 강철로 만들어진 꽃밭과, 울긋불긋 다양한 색을 지니고 벌과 나비가 날아드는, 살아 있는 꽃밭 중에서 어떤 것을 선택하겠니?

비트겐슈타인을
둘러싼 몇 가지 명제

형이상학

▲ 아리스토텔레스

형이상학形而上學의 원어는 메타피지카(metaphysika)입니다. '~의 뒤에' 또는 '~을 넘어서'라는 뜻을 가진 '메타(meta)'와 '자연'이란 뜻을 가진 '피지카(physika)'가 결합되어 있는 단어이지요. 메타피지카란 이름은 아리스토텔레스의 원고들을 정리하면서 붙여진 이름인데요, 그리스의 철학자였던 아리스토텔레스는 '존재(즉 있음)'에 대해 연구하는 존재론을 가장 근본적인 학문이라고 생각해서 '제1철학'이라고 규정했습니다. 또한 동물이나 식물 등을 연구하는 '자연학'이라고 불렀지요.

그런데 아리스토텔레스는 그 원고들을 정리하여 한 권의 책으로 묶어 놓지 않은 채 죽어 버렸습니다. 기원전 70년 아리스토텔레스의 제자들인 페리파테틱(peripatetic) 학파의 학자들이 그의 유고들을 정리하기 시작했고 아리스토텔레스의 전집은 로도스의 안드로니코스(andronicos)에 의해 편집되었습니다. 그런데 '제1철학'을 다루고 있는 원고들은 '자연학'의 뒤에 놓여 있었습니다. 그래서 안드로니코스는 '자연학 뒤에 있는 것(메타피지카)'이라고 이름을 붙였던 것이지요.

안드로니코스가 그저 생각 없이 그렇게 이름을 붙였는지 아니면 '제1철학'에 적합한 이름을 고심하면서 붙였는지는 아무도 알 수가 없습니다. 하지만 그것이 우연이라면 참 기막힌 우연이 아닐 수 없습니다. 왜냐하면 아리스토텔레스가 다루었던 제1철학의 내용들은 '존재'에 관한 것인데 그 '존재'에 관한 학문은 눈에 보이는 물질들의 배후를 탐구하는 것이기 때문입니다. 아마 아리스토텔레스가 원고의 순서를 일부러 그렇게 정리해 놓았을 수도 있습니다. 아리스토텔레스는 자연학을 다루고 난 후 우리의 눈에 보이는 자연 물질의 배후에 놓인 존재에 대해 탐구하는 것이 순서에 맞으리라고 생각했을 수 있으니까요.

▲ 라파엘의 〈아테네 학당〉

　이처럼 형이상학은 주로 '있다는 것은 무엇인가?'와 같은 존재론, '이 세계의 배후에 존재하는 신은 있는가?'와 같은, 우리가 경험하는 세계를 초월해 있는 신에 대한 학문인 신학 등을 포함하는 학문을 일컫습니다.

부지깽이 스캔들

1946년 10월 25일, 케임브리지 대학의 작은 회의실에서 철학사 사상 가장 무시무시했던 스캔들이 발생했습니다. 이 스캔들의 주인공들은 비트겐슈타인과 칼 포퍼였습니다. 도대체 무슨 일이 벌어졌던 것일까요?

▲ 칼 포퍼

당시 포퍼는 비트겐슈타인과 러셀 등 케임브리지 대학의 철학자들이 열었던 토론회에 초청되어 강연을 하고 있었습니다. 그러다 포퍼는 비트겐슈타인과 10분간 격렬한 논쟁을 하게 되었죠. 포퍼는 당시 이미 거장 취급을 받던 비트겐슈타인과는 비교할 수 없는 신출내기였지만 논쟁에서만큼은 어느 누구에게도 밀리지 않던 실력파였습니다. 논쟁을 벌이던 중 비트겐슈타인은 난로 옆에 세워둔 부지깽이를 들고 일어났고 그것을 본 주위 사람들은 급히 비트겐슈타인을 말렸습니다. 비트겐슈타인의 스승인 러셀은 조용히 비트겐슈타인에게 부지깽이를 내려놓으라고 했고 화가 난 비트겐슈타인은 강의실을 박차고 나가 버렸죠.

아주 많은 시간이 흐르고 나서 포퍼는 자신의 책에서 그때의 일을 회상하며 승자는 자기 자신이었다고 뻐기기도 했습니다. 그러나 그 당시 무엇 때문에 비트겐슈타인이 부지깽이

까지 들며 화를 냈는지, 포퍼는 어떻게 비트겐슈타인을 자극했는지에 대해서는 소문만 무성할 뿐 정확히 알 길은 없습니다.

비트겐슈타인과 포퍼는 모두 유대인계 인물들이었고 오스트리아 출신으로 영국에 망명한 학자라는 점에선 같습니다. 그러나 비트겐슈타인은 오스트리아 재벌의 아들로 태어나 별 어려움 없이 자랐고 철학의 거장에 이르기까지도 큰 어려움이 없었지요. 그러나 포퍼는 몰락한 중산층의 아들로 힘겹게 살았으며 자신의 학문적 성취도 늦게 인정을 받았습니다. 일례로 포퍼는 논리 실증주의자들의 빈 학파에 참여하고 싶어 했지만 빈 학파는 그를 받아주지 않았습니다. 반면 논리 실증주의자들이 열렬히 찬양하던 비트겐슈타인은 그들을 거들떠보지도 않았지요. 아마 부지깽이 스캔들이 벌어진 그날 포퍼는 비트겐슈타인에게 그리 깔끔한 감정을 가지고 있진 않았을 겁니다. 한번 그의 콧대를 납작하게 해주고 싶었을 것이고 어찌 되었든 먼저 강의실을 박차고 나간 비트겐슈타인을 보며 흐뭇한 미소를 지었을지도 모르지요.

비판 철학

임마누엘 칸트는 자신의 철학을 '비판 철학'이라고 주장했습니다. 여기서 말하는 비판이란 부정적으로 접근하고 반대한다는 의미의 비판이 아니라 대상을 검토하고 객관화하여 그것의 범위와 내용 그리고 한계를 규정한다는 의미의 비판입니다.

칸트는 그의 저서 《순수이성비판》의 서문에서 인간의 이성은 자신이 이해할 수 없는 문제를 이해하려고 하기 때문에 고통을 느낀다고 말합니다. 즉 의지의 자유, 영혼의 불멸성, 신의 존재에 관한 물음들은 우리의 이성이 해결하고자 하는 문제들이지만 그런 물음들은 우리

▲ 임마뉴엘 **칸트**

의 이성의 한계를 벗어나는 것이기 때문에 답을 얻어낼 수 없다는 것이지요. 그래서 칸트는 우리의 이성이 알 수 있는 것은 무엇인지를 밝혀내기 위해서 이성을 '비판'하기 시작합니다. 즉 비판 철학이란 '우리는 어떻게 무엇을 알 수 있는가?' 라는 질문을 던지는 철학이라고 할 수 있지요.

비트겐슈타인의 철학 역시 이러한 점에서 비판 철학이라고 말할 수 있습니다. 칸트가 이성에 대한 비판 철학을 통해 우리의 이성이 알 수 있는 것과 알 수 없는 것을 명확히 구분 짓고 이성이 알 수 있는 영역에 전념할 수 있는 토대를 만들었다면

비트겐슈타인은 언어의 한계에 선을 그음으로써 우리의 언어가 말할 수 있는 것과 말할 수 없는 것을 구분했습니다. 그리하여 말할 수 있는 것은 명료하게 표현하고 말할 수 없는 것은 침묵해야 한다고 주장했지요. 정리하면 칸트의 비판 철학의 대상이 '순수 이성'이었다면 비트겐슈타인의 비판 철학의 대상은 '언어 현상'이었다고 볼 수 있습니다.

칸트와 비트겐슈타인은 이렇게 비판 철학적인 방법을 통하여 우리의 이성이 알 수 있는 것과 우리의 언어가 말할 수 있는 것을 명확히 한계 지으며 더 이상 이성과 언어의 남용과 만용이 발생하지 않도록 하였습니다.

아우구스티누스
《고백록》

▲ 아우구스티누스

아우구스티누스(Augustinus, 354~430)의 《고백록》은 루소와 톨스토이의 《고백록》과 함께 세계 제3대 《고백록》으로 꼽힙니다. 이 책에서 아우구스티누스는 자신이 겪었던 젊은 날의 방황과 고뇌에 대한 성찰을 그리고 절대자 하느님에 대해 찬미하고 있습니다. 종교로 귀의하기 전까지 아우구스티누스는 공직에 진출하려는 야심찬 젊은이였다고 합니다. 그는 독실한 가톨릭 신자인 어머니가 기대했던 성직자의 길을 가지 않고 17세부터 여성과 동거를 시작합니다. 그리고 15년 동안 결혼 생활을 하면서 세속적인 쾌락과 권력욕에 빠져 지내지요. 그러나 아우구스티누스에게는, 그러한 세속적인 욕망의 이면에 또 다른 세계에 대한 욕구도 있었습니다. 바로 종교와 성스러움에 대한 욕구였지요. 결국 아우구스티누스는 사제가 되어 하느님의 길을 따르게 됩니다.

《고백록》은 아우구스티누스가 신에게로 나아가는 길에서 신에게 털어 놓는 고백입니다. 아우구스티누스는 신을 사랑하기 위해서 또한 신을 알기 위해서 먼저 신이 깃들어 있는 자신의 영혼을 살펴보려 했습니다. 그러면서 그는 자기 안에 기쁨과 즐거움을 향한 의지(악을 향한 의지)가 여전히 자리 잡고 있고, 그 쾌락의 기억을 잊을 수 없음에 괴로워합니다. 하지만 신을 향한 의지(선을 향한 의지)는 과거 쾌락 속의 자기를 극복하게 하고 신에게 한 발짝씩 나아가게 했지요. 이처럼 《고백록》은 쾌락적 삶을 살았던 과거의 자기를 극복하고 새로운 하느님의 사제로 태어나기 위한 아우구스티누스의 투쟁의 기록입니다.

그렇다면 아우구스티누스의 《고백록》은 비트겐슈타인에게 어떤 영향을 주었을까요? 아마도 비트겐슈타인이 평생 유지했던 삶의 태도에 영향을 주었을 겁니다. 비트겐슈타인은 살아가는 내내 세속적인 욕망을 따르지 않고 오로지 철학에만 몰두했던 사람입니다. 항상 틈만 나면 한적한 시골 마을을 찾았고 방엔 딱딱한 침대와 책상만이 놓여 있을  뿐이었죠. 이러한 청빈한 삶 속에서 비트겐슈타인은 오로지 철학에 대한 사랑으로 살아갔습니다. 마치 아우구스티누스가 신에 대한 사랑으로 살아갔듯이 말이죠.

논리학

논리학이란 논증을 다루는 학문입니다. 논증이 올바른지 올바르지 않은지를 결정하는 학문이라는 이야기이지요. 그렇다면 논증이란 무엇일까요? 논증이란 하나의 결론과 하나 이상의 전제가 결합된 것으로 어떤 주장이 참임을 설득하기 위한 목적을 지닌 것입니다. 논리학은 논증의 구조를 살피고 그것이 참인 형식을 지녔는지 아니면 오류가 있는지를 판단하여 우리가 좀 더 명료하고 정확한 사고를 할 수 있도록 도와주기도 합니다.

예를 들어 인간의 지식은 크게 두 가지 종류로 나뉩니다. 첫째는 '바위를 발로 차면 발이 아프고 바위를 주먹으로 치면 주먹이 아프고 머리로 박으면 머리가 아프다. 그러므로 바위를 몸으로 치면 아프다.' 와 같은 지식으로 우리는 이것을 귀납법이라고 부릅니다. 개별적 사실들을 통해 일반적인 지식을 이끌어내는 것이지요.

두 번째는 '모든 철학책은 어렵다. 비트겐슈타인의 책은 철학책이다. 그러므로 비트겐슈타인의 책은 어렵다.' 와 같은 지식입니다. 이러한 지식을 우리는 연역적 지식이라고 합니다. 첫 번째 문장과 두 번째 문장의 관계에 따라서 세 번째 판단이 연역되어 나올 수밖에 없기 때문입니다. 위의 두 가지 경우 모두 다 각각의 명제들 간의 관계에 따른 추리를 통해 어떤 특정 지식을 만들어 냅니다. 이때 이들 간의 관계를 탐구하는 것이 바로 논리학입니다.

그런데 우리는 이렇게 분명한 사고의 규칙을 제대로 지키지 못하는 경우도 많습니다. 또한 이렇게 명료한 사고의 규칙을 따르지 않고 단순히 감정에 호소하거나 멋진 표현으로 사람을 설득하려 하기도 하지요. 예를 들어 "우리는 대한민국 사람입니다. 우리 대한민국 축구 대표 팀을 응원합시다!"라고 누가 말했다고 합시다. 이는 애국심이라는 감정에 호소하는 것이지 결코 논증을 사용하고 있는 것이 아닙니다. 대한민국 사람이라고 해도 일본 축구 대표 팀을 더 좋아할 수도 있으니까요. 또한 대한민국 사람이 모두 축구를 좋아해야 하는 것도 아니겠지요.

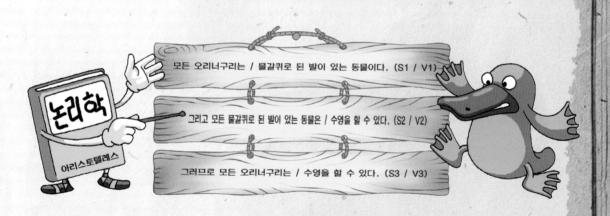

논리학

아리스토텔레스

모든 오리너구리는 / 물갈퀴로 된 발이 있는 동물이다. (S1 / V1)

그리고 모든 물갈퀴로 된 발이 있는 동물은 / 수영을 할 수 있다. (S2 / V2)

그러므로 모든 오리너구리는 / 수영을 할 수 있다. (S3 / V3)

비트겐슈타인과 그의 친구들

▲ 러셀

버트런드 러셀

러셀은 비트겐슈타인에게 철학을 할 수 있는 기회를 준 스승이었습니다. 무엇보다도 러셀은 비트겐슈타인에게 매료되었던 사람입니다. 첫눈에 비트겐슈타인이 천재임을 의심치 않았죠. 만약 두 사람이 서로 만나지 못했다면 양쪽 모두에게 크나큰 손실이었을 겁니다. 러셀은 자신이 생각하는 진정한 제자를 만나지 못했을 것이고 비트겐슈타인은 철학자가 되지 못했을 테니까요.

그러나 러셀과 비트겐슈타인의 관계는 계속 좋지는 못했습니다. 비트겐슈타인의 결벽증적이고 공격적이었던 태도는 스승이었던 러셀에게도 예외가 아니었습니다. 비트겐슈타인은 러셀과 대화하면서 그의 사유의 결함이나 문제점들을 적나라하게 공격했고 러셀이 자신의 생각을 이해하지 못한다며 면박을 주기도 했죠. 이러한 비트겐슈타인의 오만하리만치 강한 자존심에 대해 러셀은 '마왕적인 자존심' 이라고 표현하기도 했습니다.

또한 비트겐슈타인은 러셀의 사회적인 활동에 대해서도 강하게 비판했습니다.

러셀은 핵 확산 반대라든가 반전 운동과 같은 사회적 활동을 많이 했는데, 비트겐슈타인은 그러한 스승의 활동이 철학자답지 못하다고 항상 비난했습니다. 비트겐슈타인은 항상 세속적인 공간을 떠나 수도자처럼 철학을 했기 때문이지요. 결국 신사다운 귀족 출신인 러셀과 오만한 부르주아의 막내아들이었던 비트겐슈타인의 관계는 소원해지게 됩니다. 아마 그렇게 된 이유엔 비트겐슈타인의 괴팍한 성격이 가장 큰 문제였을 겁니다.

존 메이너드 케인스

케인스는 미국의 경제 공황을 해결한 '뉴딜 정책'으로 유명한 경제학자입니다. 최근 미국발 금융 위기를 겪으면서 케인스주의가 다시 유행하고 있기도 하지요. 그러나 이 유명한 케인스 역시 비트겐슈타인과 소중한 인연을 가지고 있습니다. 케인스가 비트겐슈타인을 만난 곳은 바로 케임브리지였습니다. 한 명은 경제학자였고 다른 한 명은 철학자였지만 두 사람은 절친한 친구로서 오랫동안 교분을 유지했습니다. 케인스는 비트겐슈타인이 오스트리아의 시골 마을에서 교사를 하다가 다시 케임브리지로 돌아왔을 때 '방금 신이 도착했다.'고 말하기도 했지요.

▲ 케인스는 현대 경제학에서 가장 위대한 경제학자로 평가된다.

케인스는 여러 가지로 비트겐슈타인을 도와주었습니다. 우선 그가 제1차 세계대전에 참전했다가 포로로 붙잡혀 수용소에 갇혀 있을 때 바깥 세계와 편지를 주고받을 수 있었던 것, 그리고 수용소에서 썼던 《논리철학논고》를 출판할 수 있었던 것도 모두 케인스라는 거물급 인사 덕분이었지요. 케인스는 비트겐슈타인과의 대화를 즐겼으며 그의 천재성을 사랑했습니다. 또한 나중에 경제적으로 어려웠던 비트겐슈타인에게 금전적인 도움도 많이 주었지요.

▲ 피에로 스라파

피에로 스라파

다시 케임브리지로 돌아온 비트겐슈타인에게 많은 영향을 준 인물이 있었습니다. 그러나 그는 철학자가 아니라 이탈리아의 경제학자였던 스라파란 인물이었습니다. 스라파는 케인스의 도움으로 영국에서 망명 생활을 하고 있었지요. 당시 이탈리아는 무솔리니의 독재 정권이 들어섰고 많은 비판적 지식인들이 억압당하고 있었습니다. 스라파와 친했던 정치가 안토니오 그람시는 감옥에 갇혀 그 유명한 《옥중수고》를 쓰기도 했습니다. 케인스의 소개로 비트겐슈타인과 스라파는 절친한 사이가 되었습니다. 무엇보다도 스라파와의 대화는 비트겐슈타인의 철학적 전환에 적지 않은 영향을 끼쳤죠. 비트겐슈타인은 《철학적 탐구》의 서문에 스라파에게서 받은 영향에 대해 서술하고 있습니다.

언젠가 한 대화에서 비트겐슈타인은 명제와 그것이 기술하는 것은 동일한 논리적 형식을 가져야 한다고 고집했습니다. 스라파는 이에 대해 '이것의 논리적 형식은 무엇입니까?' 라고 물으며 손가락 끝으로 자신의 턱을 쓰다듬는 행동을 합니다. 이는 나폴리 사람들이 타인을 경멸할 때 쓰는 행동이었죠. 이는 명제란 그것이 기술하는 실재의 그림이어야 한다는 《논리철학논고》의 생각에 비트겐슈타인이 더 이상 집착하지 않도록 만들었습니다. 스라파는 비트겐슈타인 철학의 세부적 내용을 다루진 않았지만 전체적인 관점을 바꾸게 하는 힘을 갖고 있었죠. 또한 정치 · 사회적 문제에서도 비트겐슈타인에게 중요한 조언자였습니다.

비트겐슈타인의
고향, 오스트리아 빈

비트겐슈타인이 태어나고 자란 19세기의 빈은 당시 합스부르크 왕조가 지배하던 나라였습니다. 19세기 빈의 문화는 독특했습니다. 당시 빈에서 활동하던 사람들의 면면을 보면 이 도시의 문화가 어떠했는지 대략 짐작할 수 있습니다. 지그문트 프로이트, 아돌프 로스, 아르놀트 쇤베르크와 같은 사람들이 빈의 문화를 만들어 내고 있었죠.

지그문트 프로이트

프로이트는 정신 분석학이란 분야를 만들어 낸 사람입니다. 프로이트는 우리의 정신세계는 우리가 의식하는 것보다 의식하지 못하는 무의식의 세계에 의해 더 많이 좌우된다고 설명합니다. 프로이트가 발견한 무의식은 이성을 절대시했던 근대 유럽인들에게 엄청난 충격을 주었습니다. 이성이 모든 사실과 가치의 근거였는데 프로이트는 이성은 무의식에 비하면 빙산의 일각에 불과하다고 주장했으니까요.

▲ 지그문트 프로이트

아돌프 로스

아돌프 로스는 건축가입니다. 그는 〈장식과 죄악〉이란
논문에서 모든 장식은 죄악이라는 발칙한 주장을 펼쳤습
니다. 로스는 퇴폐적이고 허식과 과장이 넘치는 당시 빈
의 풍경을 쇄신하고 싶어 했습니다. 그가 설계한 '로스
하우스'는 주거와 상업 시설의 복합 건축물로서 일체의
장식과 허세를 거부하고 기능적이고 합리적인 철학을
구현한 로스의 대표작입니다. 재미있는 사실은 '로스 하
우스'의 위치인데요, 바로 합스부르크 왕가의 궁전 호프
부르크가 위치한 미카엘 광장 건너편에 자리하고 있습
니다. 격자의 창으로 무심히 뚫린 일체의 장식 없는

▲ 아돌프 로스

▲ 로스하우스

이 건물은 온갖 화려한 장식으로 둘러싸인 왕궁에 대한 모독이었죠. 또한 비트겐슈타인이 누나를 위해 직접 설계한 집은 바로 로스의 영향을 받은 작품이기도 합니다.

아르놀트 쇤베르크

▲ 아르놀트 쇤베르크

쇤베르크는 20세기 음악에 가장 큰 영향을 끼친 사람 중 하나입니다. 쇤베르크는 기존의 음 체계와 조성을 파괴하고 12음 기법과 무조 음악을 탄생시켰죠. 즉 쇤베르크는 서양 고전 음악의 토대부터 무너뜨린 혁명적 음악가라고 볼 수 있습니다. 우리나라보다 해외에서 더 유명한 비운의 음악가 윤이상은 쇤베르크에게서 많은 영향을 받았습니다. 뿐만 아니라 쇤베르크는 백남준과 같은 현대 미술가들에게도 크나큰 영향을 끼쳤습니다.

프로이트, 로스, 쇤베르크는 각각 활동하던 분야는 달랐지만 모두 공통적인 속성을 가지고 있습니다. 바로

세기말적 혼돈의 분
위기를 잘 드러내면서
동시에 전혀 새로운 세
계를 창조하려 했다는 점입니다. 프로
이트는 근대인의 핵심이었던 이성을 무너
뜨렸으며 로스는 기존의 건축에 대한 생각을 바꾸어 놓았고 쇤베르크는 서양 고전
음악의 토대를 해체해 버렸습니다. 이러한 측면에서 빈은 세기말의 혼돈과 함께 새
로운 질서가 힘겹게 고민되고 있던 도시였다고 볼 수 있습니다.

그렇게 보면 비트겐슈타인은 영국에서 더 오랜 기간을 살았지만 빈의 정신을 이
어받은 인물이 분명합니다. 비트겐슈타인 역시 언어 비판이라는 새로운 방식의 철
학으로 기존의 철학자들과 전혀 다른 방식으로 사유했기 때문이지요. 프로이트가
근대적 정신의 죽음을, 로스와 쇤베르크가 근대적 예술의 죽음을 선고했듯이 비트
겐슈타인 역시 근대적 철학의 죽음을 선고한 철학자였던 것입니다.

48 비트겐슈타인 철학적 탐구

김면수 글 | 이남고 그림

01 비트겐슈타인이 《철학적 탐구》 이전에 전쟁의 포화 속에서 틈틈이 썼던 것으로 비트겐슈타인의 전기 철학을 대표하는 책은?

① 《갈색 책》　　　　　　　　② 《청색 책》

③ 《논리철학논고》　　　　　　④ 《철학적 문제들》

⑤ 《게으름에 대한 찬양》

02 비트겐슈타인의 스승으로 '프랑스 왕은 대머리이다.'라는 문장이 거짓임을 보인 철학자는 누구일까요?

① 러셀　　　　　② 하이데거　　　　　③ 포퍼

④ 에이어　　　　⑤ 프레게

03 1920년대 빈대학에서 활동하던 과학자, 철학자들로 비트겐슈타인의 영향을 크게 받아 과학과 형이상학을 명확하게 구분하고 모든 의미 있는 문장을 과학 언어로 번역하여 하나의 통일과학을 수립하고자 했던 사람들은 누구일까요?

① 프랑크푸르트학파　　② 견유학파　　　　③ 소피스트

④ 논리실증주의자　　　⑤ 일상언어학파

04 《철학적 탐구》에서 비트겐슈타인은 언어를 무엇과 연관 지어 생각했을까요?

① 사태를 그리는 그림 　　　 ② 놀이로서의 게임

③ 삶이라는 무대 위의 연극 　 ④ 진지한 학문적 탐구

⑤ 신실한 종교적 믿음

05 다음 사례가 보여 주는 의미로 가장 적절한 것은 무엇일까요?

만약 건축가와 그의 조수가 식당에 가서 밥을 먹고 있는데 갑자기 건축가가 '벽돌!'이라고 외쳤다고 해 보자. 그럼 조수는 어리둥절하고 말 것이다. 왜냐하면 지금 건축가와 함께 있는 장소가 식당이기 때문이다. 그러나 건축가가 '소금!'이라고 말했다고 해 보자. 그러면 조수는 바로 소금을 가져다줄 것이다. 반대로 건축가가 건축 현장에서 '소금!'이라고 외쳤다면 조수는 또 어리둥절하고 말 것이다.

① 단어의 사용은 언어게임의 배경에 의존한다.

② 단어의 사용은 공통된 규칙을 따라야 한다.

③ 단어의 사용은 사람들 간의 친밀도에 따라 달라진다.

④ 단어의 사용은 언어게임의 규칙을 계속 고쳐 나간다.

⑤ 단어의 사용은 때때로 의사소통의 혼란을 초래한다.

06 비트겐슈타인은 철학이 해야 할 일은 무엇이라고 생각했나요?

① 수많은 철학적 난제들에 대한 해답을 제시하는 것

② 모든 의문들을 해결해 줄 수 있는 하나의 진리를 발견하는 것

③ 인간이 윤리적인 삶을 살아가기 위해서 따라야 할 원칙을 발견하는 것

④ 단어의 개념을 따져 들어가 가장 정확하고 올바른 단어의 정의를 찾아내는 것

⑤ 모든 철학적 문제들이 가진 언어 사용의 오류를 밝혀 철학적 문제를 없애는 것

07 비트겐슈타인이 《철학적 탐구》에서 중시한 언어는?

① 이상언어   ② 일상언어   ③ 논리언어

④ 윤리언어   ⑤ 학술언어

08 다음은 《철학적 탐구》의 한 구절입니다. 빈 칸에 들어갈 말은 무엇일까요?

그들은 가족을 이루며 그 구성원들은 ○○○○○을 갖는다. 그들 중 어떤 사람들은 코가 같고, 다른 사람들은 눈썹이 같으며, 또 다른 사람들은 걸음걸이가 같다. 그리고 이러한 유사성은 중복된다. 일반 개념이 그것의 특수한 실례들의 공통적인 속성이라는 생각은 언어의 구조에 대한, 원시적이고 너무 단순한 또 다른 생각과 연결된다.

_____

09 감각이나 감정과 같이 개인의 내면에서 일어나는 것을 나타내는 언어로서 비트겐슈타인은 이러한 언어는 그것을 느끼는 본인만이 경험할 수 있기 때문에 사실상 언어로 기능할 수 없다고 보았습니다. 이 언어는 무엇일까요?

_____

10 한국 사람들은 한국어 문법을 배우지 않아도 한국어 문법을 잘 지키며 한국어를 잘 사용할 줄 압니다. 그 이유에 대해 비트겐슈타인은 어떻게 대답할지 서술해 보세요.

_____

통합교과학습의 기본은 세계사의 이해,
세계대역사 50사건

제대로 알차게 만든 교양 세계사 만화!
우리 집 최고의 종합 인문 교양서!

★서양사와 동양사를 21세기의 균형적 시각에서 다룬 최초의 역사 만화
★세계사의 핵심사건과 대표적 인물을 함께 소개해 세계사의 맥락을 짚어 주는 책
★시시각각 이슈가 되는 세계사 정보를 지식이 되게 하는 재미있는 대중 교양서

1. 파라오와 이집트
2. 마야와 잉카 문명
3. 춘추 전국 시대와 제자백가
4. 로마의 탄생과 포에니 전쟁
5. 석가모니와 불교의 발전
6. 그리스 철학의 황금시대
7. 페르시아 전쟁과 그리스의 번영
8. 알렉산드로스 대왕과 헬레니즘
9. 실크 로드와 동서 문명의 교류
10. 진시황제와 중국 통일
11. 카이사르와 로마 제국
12. 로마 제국의 황제들
13. 예수와 기독교의 시작
14. 무함마드와 이슬람 제국
15. 십자군 전쟁
16. 칭기즈 칸과 몽골 제국
17. 르네상스와 휴머니즘
18. 잔 다르크와 백년전쟁
19. 루터와 종교개혁
20. 코페르니쿠스와 과학 혁명
21. 동인도회사와 유럽 제국주의
22. 루이 14세와 절대왕정
23. 청교도 혁명과 명예혁명
24. 미국의 독립전쟁
25. 산업 혁명과 유럽의 근대화
26. 프랑스 대혁명
27. 나폴레옹과 프랑스 제1제정
28. 라틴 아메리카의 독립과 민주화
29. 빅토리아 여왕과 대영제국
30. 마르크스_레닌주의
31. 태평천국운동과 신해혁명
32. 비스마르크와 독일 제국의 흥망성쇠
33. 메이지 유신 일본의 근대화
34. 올림픽의 어제와 오늘
35. 양자역학과 현대과학
36. 아인슈타인과 상대성 원리
37. 간디와 사티아그라하
38. 마오쩌둥과 중국 공산당
39. 대공황 이후 세계 자본주의의 발전
40. 제2차 세계 대전
41. 태평양 전쟁과 경제대국 일본
42. 호찌민과 베트남 전쟁
43. 팔레스타인과 이스라엘의 분쟁
44. 넬슨 만델라와 인권운동
45. 카스트로와 쿠바 혁명
46. 아프리카의 독립과 민주화
47. 스푸트니크호와 우주 개발
48. 독일 통일과 소련의 붕괴
49. 유럽 통합의 역사와 미래
50. 신흥대국 중국과 동북공정
★가이드북

김창회 외 글 | 진선규 외 그림 | 232쪽 내외